次のテクノロジーで
世界はどう変わるのか

山本康正

講談社現代新書

2558

はじめに　2年後のビジネスは「三角形（トライアングル）」を中心に進む

20世紀初頭のニューヨーク。当時の街の交通を担っていたのは圧倒的に馬車だった。それからわずか十数年後、交通の主役は車になった。10年ほどの間に、それまで当たり前の存在だった馬車がニューヨーク五番街の道路から消え失せ、大量の車が走るようになった。

ここで示される教訓は二つ。便利な変化は短期間のうちに劇的に進んでいくという点、そして、劇的な変化は人々が気づかぬうちに静かに進行していくという点である。


同様の大変化は現在も静かに進行している。

それはたとえば、こんな形で現れてくるはずだ。想像してみよう。

たとえば巨大企業のアマゾンは、いま冷蔵庫をつくっている。

冷蔵庫に「カメラ付き冷蔵庫モニター」を設置できれば、そのモニターが冷蔵庫の中を常に360度監視し、あらゆる食材のデータを集める。なくなった食材、少なくなった食材を知らせ、的確なタイミングで販売につなげる。カメラの画素数が上がれば、冷蔵庫の隅々の食材を正確に特定できるので、ヌケ、モレがなくなり、販売チャンスを逸することがなくなる。その人の食材の好みの傾向を正確に割り出して的確なリコメンデーションを提供することも可能だ。現段階ではこれは空想にすぎない。ただし、アマゾンが冷蔵庫を開発しているだけでなく、冷蔵庫の中にカメラを設置する技術で2019年8月に特許を取得したのは事実である。

やがて、アマゾンは本棚やベッドや洋服にも〝進出〟するかもしれない。

たとえば、アマゾンがカメラやセンサー付きの本棚を作って安価で提供したとする。本棚が映った画像を人工知能に解析させ、あらゆるデータを読み取り、その人の好みの傾向を正確に割り出すことで「おすすめの本」を提供できるかもしれない。

ベッドも同様である。横になった回数、時間や寝返りを打った回数、寝る位置、寝る態勢など、睡眠中のすべてのデータを集められれば、その人に完璧にフィットするベッドが誕生する。洋服にセンサーが埋め込まれていれば、どの服をどのような頻度で着たか、どのような天候の日に着たかがわかり、シチュエーションごとのリコメンデーションが提供されるようになる。

テクノロジーの基礎教養が必須

冷蔵庫、本棚、ベッド、洋服。家電や家具のような、生活におけるあらゆる空間にあるものがデータ化されることで、私たちの生活はそれまでと一変するだろう。

これらは想像上の一例だが、ビジネスに関わるテクノロジーが急激に進化しているのは明らかである。この進化がさらに進んでいくのは間違いなく、そのとき、私たちが直面するビジネスも大きく変わっているはずだ。

はたして、どのように変わっていくのだろうか。いまのところ、それを予測するのは簡単ではない。ただ、そのヒントをつかむのはできないわけではない。

何年か前から、いわゆる「リベラル・アーツ」が注目されてきた。ビジネスの周辺知識や、取引相手とのコミュニケーションを円滑化するための教養は、確かに必要だ。

しかし、リベラル・アーツはビジネスの変化のヒントにはならない。テクノロジーの進化をつかむには、それだけでは足りない。

これからの時代に必要なのは、テクノロジーの基礎的な教養だ。

もはや、テクノロジーの知識が必要なのはエンジニアだけとは限らなくなった。なぜなら今後のテクノロジーはあらゆるビジネスに直結し、テクノロジー抜きにビジネスは成り立たなくなってくるからだ。本書は未来のテクノロジー・ビジネスの入門書である。本書で全体の理解を深めた後に、各分野の専門書へと進んでいただければと思う。

テクノロジーが企業を選ぶ時代に

なぜ、私が本書の執筆を考えるようになったのか。

私は、日本の大学、大学院時代に理系の勉強に取り組み、卒業後には金融機関に就職してビジネスの世界を熟知した。その後アメリカの大学に留学し、理系、文系問わずさまざまな種類の学問を勉強した。留学後はテクノロジーの最先端企業グーグルで4年間にわたってむさぼるように学び、転職後は投資家としてさまざまな起業家をビジネス面、テクノロジー面から評価、支援する仕事に就いている。

テクノロジーとビジネスの〝交差点〟に立っている私からすると、テクノロジーがビジネスを新たなステージに導き、場合によっては国家そのものまで変えてしまう時代が目前に迫っているのに、その事実がほとんど意識されない現実に歯がゆい思いがする。これまでの時代は企業が自社で活用するテクノロジーを選んできた。だが、これからはテクノロジーが企業を選ぶ。これから本書でつぶさに見ていくテクノロジーを使いこなせない企業はほぼ間違いなく淘汰されるからだ。

中国企業ファーウェイの製品調達を禁じるアメリカ政府の決定、フェイスブックが始めようとしていた仮想通貨「リブラ」をめぐる騒動、そして２０１９年末に突如として発表されたヤフーとラインの統合……。これらの出来事について本当の意味を理解しようと思えば、基本的なテクノロジーの知識が不可欠だ。

当然のことながら、テクノロジーとビジネスは切っても切り離せない。だとすると、テクノロジーの知識を持っていないと、ビジネスすら語れなくなるのだ。

多くの日本人にとって、フェイスブックはＳＮＳを運営するアメリカの企業という認識しかない。60兆円を超える時価総額を持ち、「リブラ」や「フェイスブックペイ」をはじめ、これから世界の通貨を左右するかもしれない存在である事実を知る人はさほど多くはない。その事実を知っていても、それが世界にどれほどのインパクトを与えているかをテクノロジーを足がかりに語れる人はほとんどいない。情報の断絶が起こっている。

メガテクノロジー「3＋1」の構図

まずは、最低限押さえるべき全体像から始めたい。10〜11ページの図「2020年代のテクノロジー」は、2年後の未来を考えるうえでの核となるテクノロジーの相関を示したものである。

ここで何よりも重要なことは、これからの企業はデータ・テクノロジーを活用できなければ確実に衰退し、淘汰されていくという現実だ。そのデータ・テクノロジーの主役が、**人工知能（AI）**、**5G**、**クラウド**の3つのメガ（基幹）テクノロジーである。これらの3つが組み合わさることで形成される**三角形＝トライアングル**の力こそが、次代の産業・社会・国家を大きく変えていく原動力となる。とくに次代の企業は、そのすべてがこのトライアングルによって生まれるか、新しく生まれ変わることになる。

より具体的に見ていこう。

図の中心にあるのはデータとアルゴリズムをもとに「判断」を行い、「人間の作業を代替する」ためのテクノロジー、**人工知能（AI）**である。AIは1956年に提唱された概念で、2度のブームを経て現在は3度目のブームを迎えている。そのきっかけとなったのがディープラーニング（深層学習）だ。

ディープラーニングは、人間の脳の仕組みを模したニューラルネットワークが基本となっている。情報を入力する層と、答えを出力する層の間に、情報を判断する層を多層（ディープ）に重ねたため、その名で呼ばれている。

犬を犬と判断するには、本来はいくつもの特徴を総合的に判断しなければ特定できないはずだ。ディープラーニングが登場する前のマシンラーニング（機械学習）では、ある一つのパターンを人間が細かく設定し、それをＡＩに犬と認識させた。ＡＩは、そのパターンに当てはまるものだけを犬と判断し、当てはまらないものを犬ではないと判断した。そのため、大雑把な判定しかできなかった。

ところが、ディープラーニングでは目、耳、鼻、口、体型などを多層に分け、それぞれのパーツにおける犬の特徴を膨大なデータを使って自ら学習していく。この学習によって、犬であるか犬でないかの判断の精度が上がっていく。

このディープラーニングの精度を高めるには、大量のデータが必要だ。それには「大量のデータを蓄積する」ためのテクノロジーである**クラウド**が必要になる。

2020年代のテクノロジーの構図

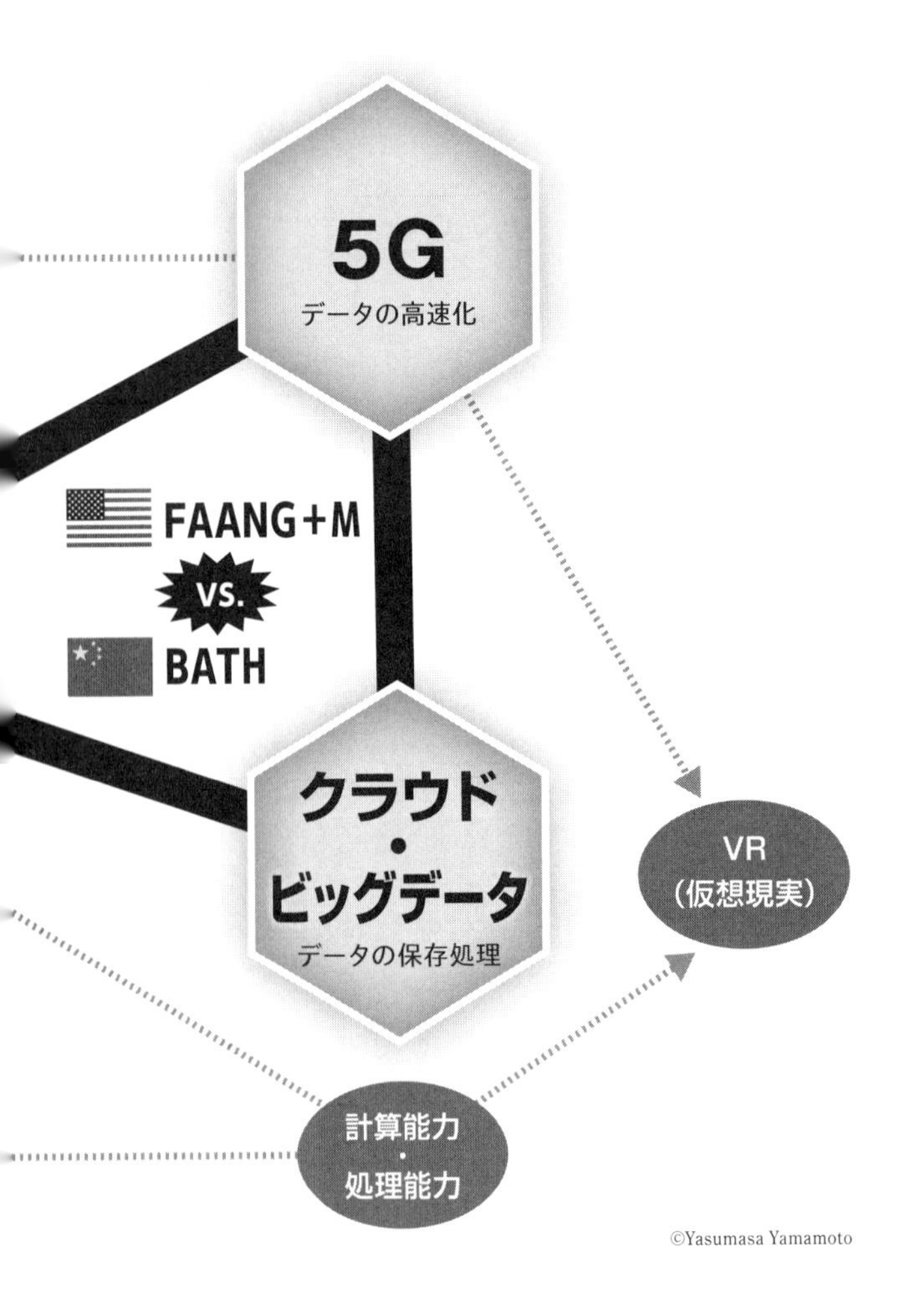

©Yasumasa Yamamoto

近未来のテクノロジーはデータの高速化を可能にする**5G**、データの保存・処理能力を飛躍的に伸ばす**クラウド**、それらのデータを使って高度な判断を行う**AI（人工知能）**の3つが組み合わさったトライアングルを基軸に、自動運転やスマートホームといった、データを使った新しいテクノロジーが次々具体化していくことになる。加えて新しい4つめの軸となる**ブロックチェーン**が登場したことで、データや情報がより効率化・民主化されていく。トライアングルの分野で先行しているアメリカの**FAANG＋M**（Facebook, Amazon, Apple, Netflix, Google and Microsoft）を中国の**BATH**（Baidu, Alibaba, Tencent, Huawei）が猛追する展開となっている。

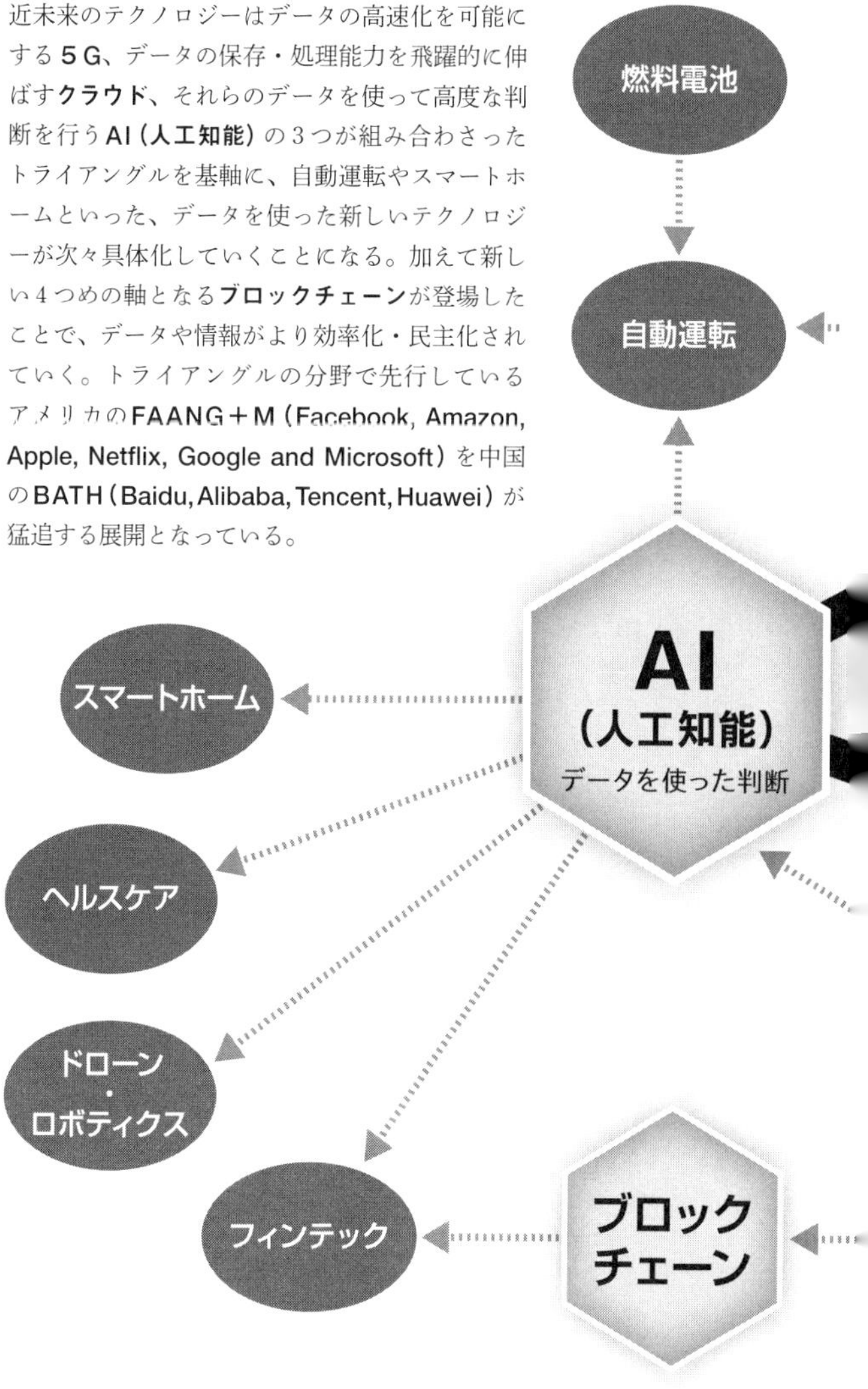

燃料電池
自動運転
AI
（人工知能）
データを使った判断
スマートホーム
ヘルスケア
ドローン
・
ロボティクス
フィンテック
ブロック
チェーン

クラウドは、個人や企業がサーバーやネットワークを保有しなくても、インターネットを通じて必要なときにサーバー機能やネットワーク機能を使えるという技術だ。グーグルやアマゾンなどクラウドサービスを展開する企業が、世界各地に大量のサーバーを並べたサーバールームを保有し、非常に安い価格でサービスを提供している。データの保有だけではなく、データの処理までクラウドがサービスとして行ってしまう点に特徴がある。

また、大量のデータを保有する場所があっても、データを送る機能が不十分では有効に使えない。２０１９年から「データを大量かつ高速に送る」通信テクノロジー、**5G**（フィフス・ジェネレーション）が始まった。５Ｇはそれまでの１Ｇから４Ｇとは異次元の「高速・大容量」「低遅延」「同時接続」を実現した。

FAANG＋MとBATH

データを大量・高速に送受信する５Ｇ、データを保存・処理するクラウド、そしてデータをもとに判断を行うＡＩ……３つが組み合わさるトライアングルになることで、それぞれのメガテクノロジーは最大の効果を発揮できる。

優れたＡＩは、「データの量」と「良質なアルゴリズム」の掛け算によって生まれる。つまり、世界をリードするＡＩ開発のためには５Ｇやクラウドのインフラが不可欠である。その点に早くから気づき、この基軸となる３つのメガテクノロジーを開発し続けてきたのが、かつてのＧＡＦＡに２社を加えたアメリカ企業群の**ＦＡＡＮＧ＋Ｍ**（ファングプラスエム）**（フェイスブック・アマゾン・アップル・ネットフリックス・グーグル・マイクロソフト）**であり、彼らを猛追しつつある中国の**ＢＡＴＨ**（バス）**（バイドゥ・アリババ・テンセント・ファーウェイ）**なのである。

図にも掲げた「自動運転」「スマートホーム」「ドローン・ロボティクス」といった、次代の主力となる業界・企業群などは、ほぼすべてがこのトライアングルの力によって生まれているといってよい。逆に言えば、従来の企業は、このトライアングルの力に合わせて主力製品や業務内容を急ピッチで変えていかなければ生きていけない。なぜなら、ある企業が、どんなに優れた製品を独自に開発したところで、データやＡＩという根本を押さえているＦＡＡＮＧ＋ＭやＢＡＴＨの技術やサービスを採り入れなければ、結局のところ、彼らやライバル企業には勝つことができなくなるからだ。

そして、このトライアングルの力は、今日、ありとあらゆる場所で見ることができる。

具体例の一つにはクラウドゲームが挙げられる。

プレイヤーがコントローラーのボタンを押すと、高速でそのコマンドがクラウドに送られ、クラウド中でＡＩがコマンドを処理し、再びプレイヤーのもとに戻る。この処理が、これまではできなかった。あまりにも遅延が大きかったからだ。高速処理ができる５Ｇが導入されることで、それが可能となった。日本ではこれからだが、すでに欧米では浸透しつつある。

ビジネス面の例では、スマートファクトリーが挙げられる。

製造工場で、複数のロボットが同時に動いて動作を合わせなければできない作業では、０・１秒でも遅れることは許されない。無線ＬＡＮでは、その遅れを埋めるのは不可能だった。５Ｇによる低遅延の実現で、それが可能になった。

ロボットの動きにはＡＩが関わる。ロボットに付けられたカメラが部品を自動的に認識し、自分がつかむべき部品だけをつかみ、別のロボットに渡したり、組み立てラインに送る。ディープラーニングの進化が、その精度を飛躍的に高めた。それに寄与するのがクラウドだ。カメラが撮影した画像はいったんクラウドに上げられ、大量に蓄積されたデータを使ってＡＩが適切に処理し、その結果がロボットにフィードバックされる。３つのメガテクノロジーが有効に組み合わさるからこそ実現できる世界だ。

これら３つのメガテクノロジーに対し、**ブロックチェーン**はまだ黎明(れいめい)期だが、４番目のメガテクノロジーとして要注目である。

ブロックチェーンはビットコインが有名だが、通貨をはじめワイン、戸籍などこれまでは何らかの「権威」が行っていた正統性の証明を、あらゆる人が関われる民主化された形で証明する新しいシステムである。まだ大きな波が来ていないとはいえ、これから確実に中核のテクノロジーとなっていくのは間違いない。

本書の構成

本書はまず序章で、これから迎える近未来が、これらのテクノロジーの進化によってどのような世界に変わっていくのかについて、７つの大変化（メガトレンド）という形で考察する。

第１章では、私の半生をたどりながら、テクノロジーとビジネスを結ぶ〝交差点〟

の重要性について触れたい。

第2章では、半導体、インターネット、人工知能という3つの基幹テクノロジーが誕生するまでの歴史を振り返り、基幹テクノロジーが進化するに至った背景を説明する。

第3章、第4章では、いよいよ4つのメガテクノロジーの現在と近未来について語っていく。自動運転やスマートホームといった次世代の有力な業界の最新動向についても語る。

そして終章では、テクノロジーに関する知識と情報を手に入れるための方法についてお話ししたい。

本書をお読みいただければ、これから現実となるテクノロジー新時代の渦中に入っても耐え得る教養と、新たな時代のビジネスを構築するためのテクノロジー的基礎を体得することができると信じている。

目次

第4章

近未来を創るメガテクノロジー②
5G・クラウド・ブロックチェーン

序章　近未来に必ず起こる７つの大変化

このままテクノロジーが進化を続けると、現在の常識はやがて非常識に変わる。テクノロジーによって生活が変わり、ビジネスが変わり、人々の生き方が変わる。行き着く先は、いまはとても想像できない社会だ。だが、その時代は確実に近づいている。

まずはその未知の世界の到来に備えるため、7つの大きな大変化、「メガトレンド」をしっかりと押さえておきたい。

この流れについていけない企業や個人は、ほぼ確実に脱落してしまうだろう。

大変化1 データがすべての価値の源泉となる

テクノロジーの観点から近未来を見ると、世界はこう変わっていく。

「データ・イズ・イーティング・ザ・ワールド」

単なるハードウェア、単なるソフトウェアだけでは力を持てなくなり、顧客の情報を含むあらゆるデータを持つ企業がもっとも力を持つようになる。

「ビッグデータ」「データサイエンス」という言葉は人々のあいだにかなり浸透した

感はあるが、残念ながら、データの持つ本当の意味、インパクト、その恐ろしさを理解している人はまだまだ少数派だ。

ハードウェアを製作する企業が、商品を顧客に提供する。ソフトウェアを製作する企業が、自社が開発したソフトウェアをパッケージとして顧客に提供する。それらを顧客が使う。この従来の経済行為の主体は、あくまでもハードウェアやソフトウェアを製作する企業である。これまでは、彼らがテクノロジーを進化させてきた。

しかし、テクノロジーの進化は、むしろテクノロジーを進化させてきた製作者側の独自の理屈が通用しない社会へ移行する速度をますます速めている。

端的な例がスマートフォン（スマホ）だ。初期のｉＰｈｏｎｅはバッテリーの残量がすぐに減る、防水機能がないなど、携帯電話そのものの機能としては競合先のメーカーより劣っていた。しかし、顧客が選んだのはｉＰｈｏｎｅだった。オープンソースで開発が進むアプリケーションソフト（アプリ）が顧客にとって魅力的だったからだ。一度選んでしまうと、いくら競合先のメーカーが「ｉＰｈｏｎｅなんてダメですよ」と言っても、顧客は聞く耳を持たない。

アップルは、顧客が欲しいものを知っていた。だからこそ、携帯電話としての機能を犠牲にしても、顧客の望むものを最優先で提供した。だから、顧客に受け入れられたのである。重要なのは、顧客がいまどのような状態にあって、これから何をしたいのかを正確に、素早く、そして徹底的に熟知することだ。そして、その顧客の考えていること、欲求をもっとも知ることができるのがデータにほかならない。

これからの時代に顧客に提供する価値の源泉は、ハードウェアでもソフトウェアでもない。データに基づくサービスやリコメンデーションである。あらゆるデータが取れる社会が到来すると、データをもとに顧客の望むサービスを提供しなければ、受け入れられなくなっていく。

同じソフトウェアをインストールしたとしても、新規にアカウントを登録してから使い始めるケースと、すでに自分用にカスタマイズされ、サービスが利用できる状態になっているケースを比較すると、圧倒的に後者のほうが強い。顧客の心理を考えれば当然だ。

ネットフリックスは、顧客の視聴履歴や操作履歴というデータをもとに、顧客が望む動画を製作して人気を博している。アマゾンは顧客の購買履歴というデータをもとに、顧客が望む商品をリコメンドしてさらなる購買につなげている。中国系のショートムービープラットフォームのティックトックは、女子中高生それぞれの好き嫌いをスマホ画面のスワイプという動作から人工知能によってデータ化し、個別のリコメンドに結びつけることで圧倒的な人気を得ている。

こうしたＦＡＡＮＧ＋Ｍのような、膨大な顧客情報やデータを常時手に入れられる企業が力を持ち、グローバル社会をリードする存在になっているが、その流れにいっそう拍車がかかるのは間違いない。

データが価値の源泉になるという見方はかなり前からあった。

２０１１年１月に公表された世界経済フォーラムの報告書「パーソナルデータ：新たな資産カテゴリーの出現」には、次のようなフレーズが書き込まれている。

「パーソナルデータは、インターネットにおける新しい石油である――」

20世紀のハードウェア中心の時代を牽引した原動力が石油だとすれば、21世紀のソフトウェア中心の時代を牽引する原動力はデータに変わる。このフレーズにはそんな意味が込められている。そして、ＡＩ、５Ｇ、クラウドというトライアングルが生まれつつある現在では、データの持つ意味はさらに重要度を増している。実際、人工知能のブームに乗って、近年になって頻繁に使われるようになった。

このコンセプトの裏側には、データを使って顧客を「おもてなしする姿勢」が圧倒的な強みになるという意味がある。

優れたソフトウェアをつくり、顧客にとっての使い勝手さえよくすればいいという段階でとどまっていては、顧客の信頼は得られない。さらに一歩も二歩も先に進み、顧客を熟知し、いかに顧客を満足させられるかが決定的に重要になる。

あなたがソフトウェア会社の社長で、仮に自分の会社を誰かに売却しなければならなくなったとき、顧客のことをよくわかっている企業と、あまりわかっていない企業のどちらに売りたいだろうか。高い売却金額を提示されても、顧客のことをわかっていない企業に売却すれば、せっかくのソフトウェアが使われずに終わってしまう可能性もある。

かつては、ハードウェアの使い勝手の良さが競争優位につながった。だが、やがてそれはソフトウェアの使い勝手に移行した。これからは、ソフトウェアがさらに洗練され、そのうえで顧客について熟知している企業に競争優位が生まれる。そこで死活的に重要になるのがデータなのである。

大変化2　あらゆる企業がサービス業になる

これまでのハードウェアビジネスの王道は、品質が高く、長持ちするものを安く売るという考え方だった。顧客の手元に商品としてのハードウェアを安定的に届けることが主な目的で、その機能を維持するための、または少々の改善を行うためのメンテナンスは補助的な目的だった。日本企業は、長くこのビジネスモデルで世界を席巻してきた。

しかし、インターネットの登場とともに、ハードウェアはソフトウェアによって機能を高めることができるようになった。もっともわかりやすいのは、パソコンにマイクロソフトオフィスを新たにインストールするようなケースだろう。ワード、エクセル、パワーポイントなどが扱えるパソコンと、そうでないパソコンでは、付加価値がまったく違う。このように、ハードウェアの付加価値は販売したあとからでも付与できる形に変わった。

結果的に、両者の役割が逆転する。

顧客に届けるハードウェアは補助的な目的となり、届けたときから継続的にソフトウェアの機能を高めるサービスが主たる目的になった。

顧客側から見れば、ハードウェアの購入が最終ゴールではなく、ハードウェアを使ってサービスを利用するきっかけにすぎなくなった。販売者の立場に立てば、ハードウェアを顧客に売る行為は顧客を囲い込むスタート地点にすぎない。重要なのは、ソフトウェアを継続的にアップグレードし、付加価値を提供して利益を上げるという姿勢である。

ソフトウェアの継続的なアップグレードを実現するのが、本書で述べようとするテクノロジーの数々だ。その点から見れば、近い将来、すべての企業はテクノロジー（でサービスを提供する）企業になると考えていい。

多くの人は、テクノロジーについてこう考えているかもしれない。

「ビジネスのいち分野にテクノロジーがある」

「テクノロジーを使ってビジネスをする」

しかし、それは誤りだ。これからは、こうイメージするべきだ。

「テクノロジーの土台の上にあらゆるビジネスがある」

「テクノロジーはあらゆるビジネスのＯＳ（オペレーティングシステム）である」

当社はテクノロジーとは関係ない――。そんな企業は存在し得なくなる。

現在、人工知能の研究開発をリードしているのは、資金力や有能な研究者を数多く抱えるグーグルやアマゾンなど特定の企業である。しかし、やがてあらゆる企業が人工知能を使うのが当たり前になると、人工知能の研究開発にすべての企業が直接、ないし間接的に関わるようになる。特定の業界、特定の企業だけの問題ではなくなる。

その変化が浸透すると、ハードウェアの販売よりも、ハードウェアを導入した顧客に対してどのようなサービスが提供できるかの勝負になる。自動車を売る。家を売る。機械を売る。取り引きはそこで終わりではなく、提供できるサービスが付加価値の源泉になり、差別化の大きな要因となる。

自動車メーカーは、自動車を製造・販売して終わりではなく、車を販売した顧客に対する快適な「モビリティサービス」の提供が最大の使命となる。モビリティサービスは自動車を人や物の移動のための手段ととらえ、移動の過程を円滑かつ快適にするためのサービスを意味する。荷物を運搬するロジスティックス企業の場合は、単に物を運んで終わりではなく、物を運ぶことによってどのようなモビリティサービスを提供できるかが問われる。その結果、どのような側面で人間にサービスを提供するかによって、業種という枠が規定されていくようになるはずだ。

その業種はモビリティサービスをはじめ、エンターテインメントサービス、コンテンツサービス、メディカルサービス、ヘルスケアサービス、ホスピタリティサービスなど、これまでの業種とは性質を異にする。こうしたサービスを提供できない企業は、長く生き残っていけない。ということは、すべての企業はテクノロジーを駆使したうえで、サービス業になると考えられる。


途轍（とてつ）もなく巨大な変化に思えるかもしれないが、さして驚くことではない。

江戸時代の呉服屋が業態を変えながら、いまの商社になった。ゲーム機の任天堂も、もともとは花札をつくる企業だった。自動車を製造するトヨタも、発祥は機織り機だ。

航空産業は、飛行機というテクノロジーがなければ成立しなかった。しかし、いまや飛行機よりも速い次世代交通システム「ハイパーループ」の研究が進んでいる。将来、航空会社がハイパーループを導入したら、日本航空や全日本空輸などの会社名から「航空」「空輸」などの文字が消えるかもしれない。

業態が変わるのは当たり前だ。それを怖がる必要はない。

ただし、かつてより変化のスピードは格段に増している。昔は起業から40年、50年かけて変革していたが、いまは10年単位で変わっている。

アップルはコンピューターから始まり、ｉＰｏｄやｉＴｕｎｅｓをつくって音楽業界に参入した。そうかと思えば、２００７年からスマートフォンをつくり始めた。いまや、コンピューターよりもスマホのほうが売り上げが大きくなっている。

しかし、中国製、韓国製のスマホの登場によって売り上げが伸び悩むと、２０１９年6月には映画、動画、ゲームなどの配信サービスを定額制で提供すると発表した。それにとどまらず、クレジットカード分野にも進出している。

アップルは、未来が見えていたからこそサービス産業に舵を切った。ただ、アップルのサービス部門の売り上げはまだ20％程度にすぎない。ハードウェアを売って儲ける時代ではないと気づいていても、いまだに7割程度の売り上げをハードウェアが担う。

私見だが、アップルは、サービス部門の売り上げを半分以上にする狙いがあると思う。ハードウェアのブランド力が高いアップルでさえそうせざるを得ない時代、ブランド力が浸透していない企業がサービス産業に舵を切らなければならないのは言うまでもない。

大変化3　すべてのデバイスが「箱」になる

5Gが浸透し、データに関するあらゆる処理がクラウド化すると、手元のデバイスで処理する必要がほとんどなくなってくる。ハードディスクの容量を気にする必要はなくなる。

そうなると、手元にあるデバイスはデバイス単体で処理する機能を放棄し、単に操作する機能だけに特化する。たとえば、ソフトウェアや写真、動画などを保存するハードディスクはデバイス単体では不要になる。もはや、ハードウェアは単なる「箱」でしかなくなる。

1990年代後半から2000年代前半にかけて、こう言われた時代があった。

「ソフトウェア・イーツ・ハードウェア」

これには二つの意味がある。一つは、ハードウェアよりソフトウェアのほうが価値を持ち始め、ハードウェアが箱になる。もう一つは、それがさらに進み、ソフトウェアが価値創出の中心になる。現在のパソコンやスマホはもちろん、自動車も例外ではない。この場合のソフトウェアとは、コンピューターのオペレーティングシステム（ＯＳ）と、ＯＳ上で動くアプリケーションソフト（アプリ）を指す。

２０１１年には、マーク・アンドリーセンという著名なベンチャーキャピタリストがこう言った。

「ソフトウェア・イズ・イーティング・ザ・ワールド」

アンドリーセンは、これまではハードウェアという「箱」に90％の価値があったが、それが逆転すると言っている。これからは「箱」には10％の価値しかなく、ソフトウェアが90％の価値を持つと喝破したのだ。たしかに、アンドリーセンが予測した通りに世の中が進んでいる。

典型的なのが、ＯＳの世界だ。

スマホのハードウェアをつくる企業は世界中に数え切れないほどあるが、内部のＯＳはアップルのｉＯＳとグーグルが買収したアンドロイドが世界を二分している。パソコンの世界ではマイクロソフトのウィンドウズのシェアは圧倒的で、パソコンメーカーよりはるかに大きな力を持っているのは周知の事実だ。

これを見ても明らかなように、良いスマホやパソコンをつくるより、良いソフトウェア作りに集中したほうが強くなれる。もはや「箱」に優位性はなく、交渉力はますますソフトウェアが握る世界になっていくだろう。今後のビジネスにおいて主導権を握りたければ、ソフトウェアを掌握しなければならない。

日本企業も、パナソニックやソニーなど、力のある企業がもっとソフトウェアサービス、たとえば家電のOS開発などに力を入れるべきだ。しかし、まだそこに踏み出していないところを見ると、このメガトレンドを真の意味で理解しているとは言い難い。

大変化4　大企業の優位性が失われる

企業は、今後このような変化を実現できるかどうかを考えている場合ではない。変化を実現するのが必須条件になるから、変化を躊躇する企業に未来はない。

さまざまな事情により自力での変化を諦めるのであれば、テクノロジー企業と提携するか、または企業を買収するか、テクノロジーに秀でた人材を大量に補充するかしかない。

企業は、大きくなればなるほど変革に時間がかかる。大きな長いトラックが細い道を曲がるには、脱輪しないようにゆっくりと、切り返しながら進むしかない。小型で操作性が高く、しかもロケットのように速い乗り物があとから来たら、道を譲るしかない。小回りの利くスピードの速い乗り物は、先に先端にあるものをつかんでしまう。

これがガレージベンチャー（倉庫からスタートした小さなベンチャー企業）の強みである。もちろん、大企業も豊富なリソースを駆使して最先端のものがある場所は知っているはずだ。それを取りに行くための策を講じてもいる。ところが、大企業が取りに行くために用意する乗り物は常に大型トラックだから、最先端に到達するまでに時間がかかり、身軽なベンチャーに先を越されてしまう。

いま、とくに自動運転の分野の最先端でこの現象が起こっている。

自動運転のテクノロジーの開発に特化するソフトウェア企業は、自動車の製造など考えていない。とにかく誰よりも早く、優れたソフトウェアをつくることに専念している。一方、図体の大きな自動車製造業は、自社の利益を考えてソフトウェアだけでなく製造まで網羅しようとする。その姿勢でいる限り、自動運転に特化するソフトウェア企業には追いつけない。

大企業がベンチャー企業よりも先に最先端にたどり着くには、大型トラックで取りに行くのを放棄しなければならない。身軽で優れた能力を持つベンチャー企業をいち早く見つけて買収するか、大企業の理屈で動く必要のない、自由に何でもできる子会社をつくるしかない。とはいえ、そこまで踏み込める大企業は、ほとんどない。

２０１６年、自動車業界ビッグ３の一角を占めるゼネラルモーターズ（ＧＭ）が、自動運転技術に秀でたベンチャーを5億８０００万ドル（約６３０億円）で買収、「ＧＭクルーズ」が誕生したが、２０１８年にはホンダがそのＧＭクルーズに総額で約３１００億円もの巨額の出資を行うと発表したことで話題を集めた。将来の有望分野で優秀な企業があれば大枚をはたいてでも投資する、そうでなければ生き残っていけない——日米の巨大自動車メーカーも必死になっている一例だろう。

テクノロジーの進化に拍車がかかる世界では、スピードが最優先の価値になる。この状態が続く限り、大企業の優位性は失われる。

顕著な職業はプログラマーである。インターネットを検索すれば、ありとあらゆるソースコード（プログラムの設計図）が公開されている。勉強しようと思えば、いくらでもできる。グーグルには独自で質の高いソースコードがあるが、それもオープン化される傾向にある。近い将来、大企業よりもベンチャー、個人が力を持つようになり、大企業に所属する必然性はますます失われていくことになるだろう。

その傾向は映像の世界でも変わらない。いわゆる大企業のテレビ局のプロデューサーがユーチューブの1本のコンテンツの製作に携わるようになった。大企業の内部にとどまっていた映像製作のノウハウが、個人のノウハウとして移行する可能性が高まっている。

ここで言う大企業とは、実は企業として最先端を走るグーグルやアップルをも含む。日本人にはあまり知られていないが、グーグルやアップルの本社は、起業にチャレンジしたあとの「羽休め」の場所にもなっている。ビジネスが成功したか失敗したかにかかわらず、起業家が虎視眈々とチャレンジする機会を狙い、実際に行動を起こすまで身を置く場所になっているのだ。

しかし、この状態はグーグルにとって決してマイナスではない。

起業にチャレンジして戻ってきた人材を囲い込んでネットワークを再構築し、彼らに再び挑戦してもらう。そのベンチャーが運良く成功し、グーグルにとってメリットをもたらす存在と認識されれば、いち早く買収するチャンスが増える。

日本のＤｅＮＡが１００億円のファンドを立ち上げ、社員で起業した人材に出資している。この取り組みは、グーグルのシステムを参考にしたように思われる。

これからの大企業は、グーグルやＤｅＮＡのような形が一般化するかもしれない。羽を休める場所を提供し、社員の起業を資金面から支援する。それが社会全体にとってもイノベーションが起こりやすい形になるのではないか。もはや終身雇用が幻想になりつつあるいま、自社社員の外部へのチャレンジを支援する形が企業としての変化対応を早く、強くする。日本でもよく知られるマッキンゼーの卒業生ネットワークは、新たなビジネスを生み出し、人と人をつなげることで機会を創出している。

アメリカのグーグルも、発想としてはほぼ同じである。卒業生が幅広く飛び散り、一定の成果を上げればコラボレーションの道を探り、失敗したらその経験知を戻して新たに解決策を探る。テクノロジーの世界では、このサイクルが必要不可欠になるだろう。すでにアメリカでは一般化しつつあり、日本でもそれができない企業は少しずつ衰退していくことになるだろう。

松下電器産業（当時）から日本ヒューレット・パッカードに転職し、マイクロソフト日本法人の代表を務めていた樋口泰行さんをパナソニックが経営陣に招聘した。外部の知見を取り込もうとするパナソニックの姿勢が明らかになった。この傾向は、これからますます拍車がかかっていくのではないだろうか。

大変化5　収益はどこから得てもOKで、業界の壁が消える

価値の源泉がハードウェアからソフトウェアに移行したとき、ハードウェアを売り切るビジネスモデルからサブスクリプションに変わった。すなわち、製品やサービスなどの一定期間の利用に対して代金を支払うビジネスモデルだ。ただ、サブスクリプションといえども、特定のソフトウェアやサービスの販売形態の一つにすぎない。

ソフトウェアからデータにビジネスモデルの源泉が移行すると、ソフトウェア単体でビジネスをする必要がなくなる。サブスクリプションもあって構わないが、選択肢の一つにすぎなくなる。ソフトウェアで儲けても構わないし、別のサービスで儲けて

も構わないという多様な選択肢が一般化する。

いま、そのイメージ通りのビジネスモデルを展開しているのがアマゾンだ。アマゾンはeコマースを筆頭に、アマゾンプライム会員向けに音楽や動画を提供するサービスも行っている。一定の基準を満たすユーザーには貸金業も営んでいる。アマゾンは顧客を囲い込むことで、複数ある顧客とのタッチポイントのどこかの領域でお金を稼げればいいと考えているはずだ。そのスタンスに立てば、ある部分は安い価格で提供し、別の部分でしっかり稼ぐための戦略が機動的に決められる。

こうして、アマゾンやグーグルのような企業が次々に勃興することになり、業界の垣根が低くなっていった。そのような傾向のなか「うちは電子機器製造業だから」「うちは小売業だから」と特定の業種にとどまっていては生き残れない。

たとえば、売り上げが減少し赤字に苦しんでいる書店が、書籍や雑誌の販売だけでなく顧客の購買動向のデータを取れば、そのデータを生かしたビジネスが生み出せる。本の購買データから顧客の関心を読み取り、動画など別の形のコンテンツを推薦するのだ。このクロスセルによってトータルで利益が出れば、もはや「特定の業種」という概念が意味を持たなくなる。

いま、最先端のテクノロジーを生み出している業界をＩＴ業界と呼ぶが、すべての業種がＩＴを駆使してビジネスをしなければならない未来においては、ＩＴ業界という業種はなくなり、すべての業種がコングロマリット（複合企業）にならざるを得ない。

本気で世界で戦おうとするならば、グーグルやソフトバンクが志向する投資業は一つの選択肢かもしれない。ソフトバンクは、もはや本業が何かわからなくなっているが、それはそれで一つの割り切り方だ。ソフトバンクがこれからグーグルやアマゾンのようになるのはほとんど不可能だ。同じ轍（わだち）をあとから追っても追いつけないのであれば、投資業という形態で有望なテクノロジー企業を次々と囲い込み、世界市場で影響力を発揮するという戦略は悪い発想ではない。

ソフトバンクは、自ら立ち上げたファンドが出資した企業の創業者同士を引き合わせ、新しいビジネスを創出させたり、サービスのすみ分けを行ったりしながら効率化を図っている。東南アジアでは、配車アプリのウーバーとタクシー配車アプリのグラブが競合していた。地域柄、そのまま競合を続けていれば値下げ競争に陥り、泥沼の消耗戦になる。両社に出資しているソフトバンクの収益が下がるのは確実で、両社の時価総額が下がるのも避けられないため、ソフトバンクが仲裁に動いた。経営者を紹介し合い、東南アジアはグラブを中心に据える決定を下し、ウーバーを撤退させた。

一方で、アマゾンのようなコングロマリットは、データを最大限に使う。アマゾンプライムで音楽を聴いたり映画を見たりするユーザーのデータを分析し、その人が興味を持ちそうな本の推薦もする。分析したデータは、融資を実行するかしないかを判断する際にも使える。グループ内のさまざまなビジネスでそのデータを使い回すことができるのだ。結果として企業全体の収益力が上がるため、競合先よりも安価で良質なサービスが提供できる。やがて、専業で事業を展開する企業は彼らの軍門に下る。

アマゾンは、創業時から「ストア・フォー・エブリシング（何でも売る）」を志向している。書籍から始めたが、それは単に配送しやすかっただけの話だ。

収益源を多様化するための買収も、将来のビジョンを考えなければ勝者になれない。

アマゾンが始めたクラウドビジネスは、当初は「eコマースの企業には必要ない」と叩かれた。しかしアマゾンは、クラウド時代の到来を読んでいた。後述するようにグーグルがディープマインドを買収したのも、人工知能の時代が来ることがわかっていたからだ。同様にグーグルが動画のユーチューブ、スマホのOSアンドロイドなど多数の企業を買収したのも、そこに将来性があると確信したからだ。両社が世界を動かすコングロマリットになったのは、積極的に業種の垣根を減らそうとした結果でもある。

グーグルはさらに、医療関連のベリリーを持ち株会社アルファベットの傘下に収めている。そこでは、スマートコンタクトレンズの開発を行っていた。グーグルXの研究チームは、癌(がん)の早期発見システムを開発している。こうした動きに、ヘルスケア専門企業や癌の診断を専門に扱う企業は脅威を感じている。専業でいる限り、グーグルのようなコングロマリットに吸収される可能性は十分にあり得るからだ。

大企業こそ「収益はどこから上げてもいい」と方向転換すべきだ。専業を捨て、収益を上げやすくなるポートフォリオを早急に構築しなければ生き残れない。

大変化6　職種という概念がなくなる

世間では働き方改革が叫ばれているが、近い将来、働き方を改革するどころか、個人が職種別に単独の仕事をする機会は少なくなっていく。

「私は経営コンサルタントです」

「私はファンドマネジャーです」

「私は小売店の売り場を担当しています」

自分の仕事を人に伝えるとき、このような表現は意味がなくなっていくだろう。

花屋で働き、同時に幼稚園の先生として子どもたちを教え、同時に経営者としてビジネスに取り組む。そのような複数の場所で活躍する人が数多く出てくるはずだ。

ＡＩをはじめテクノロジーが一般化することで、教育の方法も変わる。子どもそれぞれの学習の進捗度に合わせたオンライン教育が広がり、初歩の識字力強化としてロボットや人工知能によるゲームが導入される。そのため、幼稚園の先生がこれまでのような幼稚園の先生像である必要がなくなる。企業に業界の垣根がなくなると同時に、個人が取り組む仕事の垣根もなくなり、幅広く手がける人が強くなる。

早稲田大学大学院経営管理研究科の入山章栄教授はこう指摘していた。

「何をやっているかわからない人が強い」

人工知能、ブロックチェーンなど新しいテクノロジーが出てくると、これらのテクノロジーを十分に理解し、しかもビジネスを知る人がそれぞれの垣根をつなぐ必要がある。しかし、現実にはほとんどいない。私のように、金融機関からＩＴ企業を経て投資家になった人は数えるほどしかいない。

テクノロジーとビジネスの両方を経験すると、さまざまなビジネスチャンスが見えてくる。ところが、金融ビジネスに効果の高いテクノロジーを、金融畑の人にわかりやすく伝えられるのは、金融を経験した人にしかできない。ＩＴ分野しか経験していない人には難しい。このギャップを埋める人が必要不可欠になる。

このような人間を、もともとは伝道師を意味する「エバンジェリスト」という。

もちろん、すべての人がエバンジェリストにならなくてもいい。ただ、たった一つのことだけで満足するのではなく、最低でも複数の能力を持つ「マルチタグ人間」になる努力は必要になってくると思う。物理学と経済学を理解している人、化学とビジネスを理解する人がいてもいい。少なくとも、複数のタグがついていればその交差点でチャンスが訪れる可能性はぐっと高まる。

「われわれは常に、テクノロジーとリベラル・アーツの交差点に立とうとしてきた。技術的に最高のものをつくりたい。でもそれは、直感的でなければならない」

アップルのスティーブ・ジョブズの言葉である。そして、複数のタグをブリッジ（橋渡し）できる人材は、それ以上に価値が認められる。逆の視点から見れば、ブリッジできなければ生き残りにくい世界がやってくる。

明確な理由は不明だが、自然と情報が集まる人がいる。なぜこの人はこんなにも物知りなのかと感心する。

その人は、自ら情報を集めようとしているわけでもないのに、信頼されているからこそ情報が勝手に集まってくる。それは、この人に情報を伝えれば、何か新しい情報をくれるかもしれない、何か新しいものが生まれてそれに関われるかもしれないという期待が持てるからだ。こうした「信頼できる身近な人」になることが重要になる。

情報を出したくないと考える人は、出したら盗まれる、利用されるという恐怖感がある。しかし「信頼できる身近な人」になれば、人は警戒心を解く。

すべての人が持つ情報がすべての人との間で共有できれば、情報のロスは限りなく少なくなり、創造性や生産性が上がって社会はもっと良くなるはずだ。

これは、経済学でいう「完全対称性」だ。完全対称性とは、情報がすべての人に完全に伝わっている状態を指す。この状態をつくるには、すべての人の頭の中がクラウドでつながる必要がある。

大変化7 経済学が変わっていく

従来の経済学は、モデル化してシンプルにすることで、難しい経済現象を理解しようとしてきた。需要曲線や限界効用も、複雑な事象を単純化するために考えられたモデルにすぎない。人の手では、すべての事象を網羅することができないからだ。

ところが、テクノロジーの進化はあらゆるデータの収集を可能にしてしまう。

これからは、全体数に限りなく近いデータを集められるようになる。そのデータによって導かれる世界は、モデルではなく現実だ。そこでは、単純化したモデルによって導かれる従来の経済学を超える、新しい経済理論が誕生するかもしれない。2025年から2030年ぐらいには、データを中心とした新しい経済学のアプローチが生まれるだろう。経済学革命である。

革命が起こるとしたら、グーグルやアマゾンでエコノミストをしている大学教授から出てくるはずだ。実際、グーグルやアマゾンはオープン採用で多数の優秀な経済学者を雇っている。ミクロ経済理論の大家で、経済学者のハル・ヴァリアンもサバティカル（休職制度）を利用してグーグルで広告のアルゴリズムを研究した。カナダのジェフリー・ヒントンもトロント大学で教鞭をとるかたわら、グーグルでフェローとして働いていた。私の知っている範囲でも、イェール大学で経済学の博士号を取得したあとも教職に就かず、かといって大学に残って研究するでもなかったが、いつの間にかアマゾンに就職していた人物がいる。

彼らの狙いは、膨大なデータである。アカデミックでは集められない膨大なデータを活用し、思う存分研究したいという欲求には勝てない。

これまでは、顧客の動きを予想するしかなかった。だが、膨大なデータを取ることで現実が手に取るようにわかるようになると、経済理論を考える根底が変わる。たとえば、消費行動を把握しようとしたとき、現金だけでは追跡できない。だがこれが電子マネーになるとプライバシーの問題を解決さえすれば、より精緻（せいち）な消費行動を把握できる。

私たちは生まれてから会得した常識のようなものを入れ替えないと、これからの世界を理解することができなくなるだろう。

次章では、私の半生をたどる形で、「テクノロジーとビジネスの交差点」がいかに重要であると考えるに至ったかについてお話ししたい。また、グーグルのような企業がいかに早い段階からトライアングルの重要性に気づいていたかなどについても触れたい。

第1章　テクノロジーとビジネスの「交差点」

銀行で金融とビジネスを学ぶ

最新のテクノロジー情勢から次代の有力なビジネスを予見し、投資や支援を行っていく——現在の私の仕事につながる道は、ＤＮＡの構造解析など生物学でノーベル賞を取りたいと夢見て京都大学に入学したときから始まった。

大学時代に交換留学で訪れたニュージーランドで環境問題に触れた。むしろ研究室の外にやるべきことが数多くあると思い、東京大学大学院に入って「新領域」を学んだ。新領域とは、環境問題をはじめ文系と理系がミックスされた新しい学問分野だ。法学、行動経済学、マクロ経済学、工学、化学、建築学など、総合的なアプローチをしたうえでないと解けない課題を扱う。

大学院在学中に外務省でインターンを経験し、途上国に対する円借款に触れた。ミャンマー、カンボジア、東ティモールなど、日本が途上国に円借款をする際にどのようなプロセスで決定されるのか、条文はどのようにつくられていくのかを学んだ。その中で、お金とお金の仕組みの大事さを痛感する一方で、金融システムそのものに疑問を抱いた。おそらく国として貸与する円借款の１００倍ぐらいの金額が、民間から世界に投資されていると思うが、なぜ民間に比べて国からの貸与がこれほど少ないのか、もっと多くの金額が必要なことはわかっているのになぜ出さないのか。政府が主体の公的資金を使った国際支援に、民間の資金が流入していないのではないか。また、政府と民間が共同で投資を行う仕組みがないために、投資が断絶しているのではないか。そうした疑問について、金融の世界に飛び込んで環境問題を金融を切り口に考えてみたいと思い、ニューヨーク行きを決めた。

就職先は金融機関を中心に探した。金融を学ぶのであれば世界の金融の中心地であるウォール街に飛び込もうと思った。扱っている金融商品が日本に比べて格段に多いことも刺激になった。

入社したのは、三菱東京UFJ銀行（当時）のニューヨーク現地法人である。理系出身だったこともあり、住宅担保ローン、アメリカ国債、金利先物など、定量分析を使って債券投資を行う仕事に就いた。銀行の資産をポートフォリオを考慮しながら投資する仕事にも参加し、当時の日本の金融業界では扱っていなかった商品に触れ、金融をイロハから学ぶことができた。

いまでも覚えているのは、豚の写真を使った解説図だ。ロース、バラ、モモなど、肉の部位を住宅ローン担保証券になぞらえ、ロースはトリプルA、バラはトリプルB、モモはシングルAなどと表示されている。各部位をどのように解体するかによっては、住宅ローン債権を評価別に分けることも、すべてを混在させるのも可能になる。

住宅ローン担保証券は、基本的に「リスクの均一化」がポイントとなる。

「これはアラバマ州の住宅ローン債権をまとめたものです」

「これはアラバマ州の住宅ローン債権のうち、優良な評価であるトリプルAだけをまとめたものです」

どちらの住宅ローン担保証券のほうが信用力が高いかは、一目瞭然だ。ただし、信用力が高ければ利回りは下がる。逆に信用力が劣りリスクの高い「アラバマ州の住宅ローン債権」のほうが利回りは高い。さらに「アラバマ州の住宅ローン債権のうち、シングルBをまとめたもの」は、さらにリスクが高いだけに利回りもその分だけ上がる。

信用力と利回りのどちらを取るか。それは顧客の好みである。投資家が求めるリスクの特徴や流動性をどのようにデザインすれば商品として世に出せるのか、投資家が食べやすい形に料理するのが証券会社の役割だ。

当時の日本にも住宅担保証券はあったが、アメリカほど高度化していなかった。切り方が単純で、カスタマイズされた商品はなかった。このような最新の金融商品の仕組みを学んだ経験は、のちのちフィンテック（ＩＣＴを駆使した革新的、破壊的な金融サービスの潮流）に携わるときに生きた。

父の事故死、留学、インターンで社会課題の解決に興味を持つ

３年間銀行に勤務したあと、ハーバード大学公衆衛生大学院（パブリックヘルス）に２年間留学した。27歳になっていた。

自分のキャリアの方向性について、何が自分に合っていて、何が合っていないのかを見極めるうえで、非常に良い環境だった。もともと「見晴らしの良い場所に行ってキャリアを考えよう」という考え方に感化されていた。その「見晴らしの良い場所」がハーバード大学で、そこに行けば次に自分が進むべき道を探せると思った。

パブリックヘルスとは、基本的に社会に役立つことはすべて含まれる。途上国に対する支援、社会的貧困層についての対策、公共投資も含まれる。それらに対して、さまざまな形でアプローチするやり方を学んだ。

たとえば、人の健康にはメンタル面とフィジカル面からのアプローチがあり、かつ

個人の健康なのか社会の健康なのかという分類もできる。こうしたことをすべて含んだ形で総合的アプローチをするのがパブリックヘルスである。

あらゆる事象を含む学問なので、生物統計学、経済学、政治学、栄養学、環境学などのアカデミックな学問から、ビジネス、ロジスティックス、病院のマネジメント、データ解析、ゲーム理論などの実学まで、多様な分野で学ぶ機会が用意された。

なかでも、非常に興味を惹かれたのが医療経済学だった。通常の経済学よりも、経済をいかに実社会に役立てるかという点に力点が置かれていた。

社会システムとしての医療をどのようにデザインするかという課題に対しては、いわゆる「情報の非対称性」が問題となる。医師は患者のことを患者本人以上に知ることができない。適切な医療を提供するには、それは克服すべき課題である。また、患者は医師以上に医療知識を持つことはできない。医療が適切かどうかを検証するうえで、これも克服すべき課題である。

患者がウェアラブルなデバイスを持っていれば、体温や血圧など基礎的データは自動的に計測される。患者の計測し忘れを防ぎ、医師の問診を減らせる。人工知能を使った画像解析でもさまざまなデータが取れる。このような、テクノロジーを使ったシステムのデザイン設計をするのも、医療経済学の分野である。

ハーバード大学に留学して2年目の2010年夏、三つの企業にインターンとしてお世話になった。一つ目はボストンに本部のあるダナ・ファーバー癌研究所である。癌の研究機関としては世界有数の規模と実績を誇り、数千億円の資産を持つ。私が銀行出身だったこともあり、財務部で保有資産のアセットアロケーション（資産をどのような配分で投資するか決定する業務）を行った。

次の企業は、上場前のライフネット生命だった。ベンチャー企業の雰囲気を体感したいと思い、共同経営者の岩瀬大輔さんにお願いした。岩瀬さんがハーバード・ビジネス・スクール時代に書いていたブログの愛読者だった私は、成績上位者5％に与えられる「ベイカー・スカラー」を受賞して卒業した岩瀬さんが東京に戻って生命保険会社を始めた姿を興味深く眺めていた。

具体的な仕事は、アメリカの保険制度と日本の制度の違いのリサーチだった。日本よりアメリカのほうがインターネット保険が進んでいたので、その仕組みから学べることはないか調べた。働いてみると、ベンチャーの面白さを感じた。ベンチャーで初めて独立系の生命保険会社をつくり、１００億円にのぼる資金を調達し、これまでにない新しい保険商品を世の中に提示するという、手作りで世の中を変えていこうとする熱気と面白さだ。在籍期間は短かったが、大きなものを動かすことに対するやりがいは非常に大きかった。

同じ夏に行ったのが、シリコンバレーのパロアルトにあるベンチャーキャピタルだ。グローブスパンという会社で、日本のベンチャーキャピタル、ジャフコのアメリカ支社が本体から独立した企業だった。ここでの体験が、ベンチャーキャピタルを理解する基礎となった。

世界エイズ・結核・マラリア対策基金（グローバルファンド）にも勤務した。グローバルファンドは、２０００年の九州・沖縄サミットにおいて、エイズ・結核・マラリアの三大感染症対策の追加的資金調達と国際的パートナーシップが提唱され、２００２年にＧ８加盟国の政府や民間が拠出した基金によって設立された団体だ。もともと国連や世界銀行で働きたいという考えもあったので、グローバルファンドでインターンを募集していると聞いて大学を休学し、グローバルファンドの本部があるジュネーブに向かった。

三大感染症を防ぐ方法は、治療だけではないとそこで知った。治療薬を届けるためのプロジェクトでは、マラリアに対して即効性のある薬を世界各地に届けるための手段が検討された。治療薬を届けるための輸送コストの問題を解決する方法として、パートナー企業でもあるコカ・コーラが全世界に商品を配送するシステムを利用して薬を輸送すれば、コストは3分の1程度に抑えられることが分かった。疾病を予防するプロジェクトでは、やはりパートナー企業であるデビアスが保有する専用の保健所を利用する案が出た。ダイヤモンドの世界シェアナンバーワンのデビアスの保健所を開放すれば、誰もが使える保健所として予防活動に寄与できる。

変わったところではイギリスのロックバンドU2のボーカル、ボノさんが発起人の一人となった「プロダクト（RED）」というプロジェクトがある。これはアップル、スターバックス、ナイキなどの参加企業がスマホやシューズなどで共通するブランドを開発し、販売価格の一部が自動的にグローバルファンドの寄付に回る仕組みだ。こうした取り組みに触れることで、社会活動に対する関心を高めていった。

そもそも、私が社会活動に興味を持つようになったのは、１９８５年8月12日に起こった日航ジャンボ機墜落事故にさかのぼる。この御巣鷹山の事故に父が巻き込まれた。私が4歳のときだった。当時、父は出張で東京に滞在していた。お盆休みが近づいたので、家族が好きなお餅のお土産を持って私たちが住む大阪に帰省しようと、羽田発大阪行き日航１２３便に搭乗した。しかし、父は大阪の家に帰ってこなかった。

日本は、社会的なセーフティーネットが脆弱だ。事故で亡くなっても、生きていたら得られたであろう社会的価値を正しく評価する基準がない。当時4歳だった私にも、社会はなかなか厳しいものだというイメージが刻み込まれた。そんな経験もあり、弱い立場に置かれた人のためになりたいと思い始めた。途上国や社会的弱者に対する強い思いは、ここから生まれていると思う。

グーグルで世界の最先端テクノロジーを学ぶ

２０１１年3月11日、東日本大震災が起こった。

私はグローバルファンドのインターンを終え、ジュネーブからハーバード大学のあるボストンに戻っていた。ちょうど新しいｉＰａｄを予約するときだったから、よく覚えている。兄が化学会社に就職し、千葉県に勤務していた。彼の会社の石油コンビナートが爆発炎上している様子が映像で流れてきた。後に兄の無事が確認できて安堵したが、その一方で、未曾有の大災害に自分も何かしなければならないという衝動が湧き起こった。

ハーバード大学の先輩に、当時グーグルに就職していた河合敬一さんがいた。現在は『ポケモンGO』をつくったナイアンティックに在籍する。仙台出身で、グーグルマップを担当していた河合さんも、自分にできることはないか模索していた。

しばらくして彼とボランティアのチームは二つの取り組みを行った。一つめは道路のデータを使ったものだ。被災地のどの道路が不通でどの道路が通れるのか、カーナビゲーションの会社は情報を持っていた。その情報を活用することで、期間限定ながら関係者で情報を共有するシステムが構築された。そのおかげで、救援物資を積んだ車両が通りやすくなり、被災者の不便さが少しは和らいだ。

もう一つの取り組みは「パーソンファインダー」というシステムの立ち上げである。被災して家を失った人たちは、体育館など避難所に身を寄せていた。そこにはホワイトボードや掲示板が置かれ、避難所に身を寄せた人たちの氏名を手書きで書いていた。

それはそれで重要な取り組みだが、親族の無事を祈って捜しに来た人は、手書きで書かれた情報だけを頼りに探すしかない。コンピューターで検索することができなかったため、その避難所に尋ね人がいなければ、別の避難所に足を運んで同じ作業をしなければならない。捜索が立ち往生していた。

そこで、ボランティアチームは氏名を打ち込めばどこに誰が避難しているかがわかる検索サービスを始めた。それがパーソンファインダーである。混乱を極めた状況のなか、パーソンファインダーは有意義なものとして高く評価された。

こうした社会に対する働きかけは、政府、地方公共団体、ボランティア組織、あるいは国際機関にしかできないと思っていた。というより、利潤を追求する民間企業には何かをやろうとするモチベーションはないものと思い込んでいた。

東日本大震災後の混乱のなか、少しでも社会のためになろうとする民間企業がいて、彼らにもできることを知った。しかも、政府や地方公共団体などよりスピーディーだ。おそらく、ここが自分の道かもしれないと考えた。

では、何から手をつければいいのか。

そう考えたとき、まずはさまざまなビジネスを体験し、自らの修業のための時間が必要だと思った。河合さんに紹介を受けたこともあって、グーグルに入ろうと思った。河合さんやカーナビ会社のように、社会に貢献するテクノロジーの最前線を学ぶには、グーグルが最適だった。社員として給料をもらいながら勉強もできる、最高の環境だ。先入観を持たずにやれることはすべてやろうと決意した。

ハーバード大学の留学を終え、2013年に私はグーグルに入社した。

東京に戻った私は、インダストリー・アナリスト、のちにインダストリー・マネジャーという肩書も加わり、メガバンクや生命保険会社、損害保険会社など金融業界を担当し、フィンテックを中心に金融機関のデジタル化を推進した。

具体的には、テクノロジーの進化による金融業界の業態の変化を予測し、たとえば「将来、支店は不要になる」というテーマに対して顧客との接点を強固にするためのウェブサイトやモバイルアプリのあり方などを提案し、顧客が提案を受け入れたらグーグルの専門部隊につなぐという、いわばコンサルタントのような役割を担った。

いまもほとんど変わっていないが、テクノロジーは急速な進化を遂げていても、顧客としての企業側がそのスピードに追いついていない現実がある。

「人工知能って、何ができるんだっけ？」

「フィンテック？　具体的にはどんなこと？」

金融機関の役員からは、よくそういう言葉が聞こえてきた。導入して実際に使った経験がないからだ。導入しないから便利さに気づけない。便利さを実感できないから導入しない。そんな悪循環があることに、もどかしさを覚えていた。

その感覚を変えてもらうには、いま、世界ではどのようなテクノロジーが使われているのか、グーグルはどのようなテクノロジーを提供できるのかを伝えなければならない。正確かつ魅力的に伝えるには、その事柄を熟知しなければならない。私がテクノロジーと投資・ビジネスをつなぐエバンジェリストになろうと決意した瞬間だった。


グーグルでは、さまざまなテクノロジーに関するドキュメント、さまざまなチームが手がけた取り組みのデータが社員向けに公開されている。それらを検索し、ひたすら読んで理解する勉強を続けた。

グーグルでは、毎週金曜日にＴＧＩＦ（Thank God It's Friday）という全世界をつなぐミーティングが開催されている。ＴＧＩＦにはＣＥＯも参加し、最新の情報が語られる。そこで気になった情報やテクノロジーに関しては、すぐに調べて理解を深めた。

いまでは多くの人が使うスマートフォンOSのアンドロイドも、日々のアップデートがどのようにリリースされているのか知られていない。だが、アンドロイドの最新版として「ドッグフード」というネーミングのベータ版を渡され、実際に利用して使い勝手をフィードバックする機会にも恵まれた。発売前の製品に触れられるのはテクノロジーの勉強にもなる。フィードバック先のエンジニアと話すチャンスもあり、テクノロジーの背景を体系的に理解できた。

グーグルには、社員が仕事を離れて交流する機会が数多くある。それを利用してエンジニアと話す機会を増やし、未開発のテクノロジーやこれから進んでいくであろうテクノロジーの方向性を聞いた。こうした積み重ねによって、自分のなかに新しいテクノロジーの知識が蓄積されていった。

もちろん、ただ知識を知識として覚えただけでは、テクノロジーを理解したとは言い難い。理解力を上げるために、頭の中で「マップ（関連づけ）」をつくる練習を続けた。

「人工知能を使えば、カメラがとらえた映像から車体や人を検知し、危険を察知し回避するなど自動運転の精度は上がる。しかし、同時にセンサー技術が向上しなければ、自分の車と相手の車体や歩行者との距離の精度が上がらず、危険は積み残したままだ」

このような「マップ」を思い描けるようになれば、本当の意味でテクノロジーを理解したと言えるのではないだろうか。

何かをやりたい。これはできるかできないか。

顧客からそう問いかけられたとき、その課題に絡みそうなテクノロジーの知識を総動員し、ここまではできるがこれ以上はできないという判断を下す。そして現状での最終地点を定められれば、その人のテクノロジーに対する理解度は高いといえる。

私はエンジニアではないが、グーグルでの体験からその判断を下せるところまでのテクノロジーの知識を持つことができた。

コラボレーション・M&Aなどで最先端のテクノロジーが身近なものに

グーグル社内のエンジニアが語っていた話が現実化したものも多数ある。一般的にもインパクトを与えたような、数々の歴史的場面にも遭遇した。

現在も人気が続く『ポケモンGO』は、もともとグーグル社内で行われた「エイプリルフール」から始まった。エイプリルフールとは、毎年4月1日のエイプリルフールに各プロダクトチームが発表するジョークで社内外を笑わせるイベントだ。

きっかけは、グーグルマップをつくるチームだった。グーグルのプロダクトチームには「マップチーム」「検索チーム」「日本語入力チーム」などがあり、マップチームは２０１２年に『ドラゴンクエスト』のビットマップで世界中を表現していた。

２０１４年、彼らはポケモンのキャラクターをグーグルマップ上で世界中に配置し、プレイヤーがピラミッド、セーヌ川、アンコールワットなど世界の名勝にズームして探すというゲームをつくった。１５０匹捕まえるとコンプリートというこのゲームが大好評で、これを本気でゲームにしようという機運が高まったのだ。

たまたま、グーグルのオフィスが入っていた六本木ヒルズに株式会社ポケモンが入居していた縁もあって、彼らに提案したところ合意ができてプロジェクトが始まった。

その２年後に完成したのが『ポケモンＧＯ』である。大ヒットしたゲームの開発過程を間近で見られたのは非常に面白かった。こんな小さな発想から、大ヒット商品が生まれる驚きと感動を体験した。

２０１４年にグーグルがディープマインドを買収したのも衝撃だった。

イギリスのディープマインドは、まだ売り上げゼロのディープラーニングを研究する会社だった。ケンブリッジ大学で博士号を取ったばかりの若者が集まった、単なる研究者集団である。彼らのアルゴリズムが非常に優れていたのは事実だが、たった20人規模の会社を３００億円も投じて買収したのには驚いた。

いったいどうなるのか想像もつかなかったが、彼らが開発した「アルファ碁」が２０１５年に人間のプロ棋士を打ち負かし、翌２０１６年3月には韓国のチャンピオン、２０１７年5月には中国のチャンピオンを次々と破った。そしてその後、次から次へとグーグルの広告商品やサービスに人工知能が使われ始めたのを見て、ディープマインドを買収した本当の意味を知った。同社を買収したことで、グーグルのサービスは劇的に向上した。もっとも顕著なのは翻訳の「グーグルトランスレート（グーグル翻訳）」だ。

翻訳サイトは２０１６年にこのニューラルネットワークを採用したアルゴリズムに変更されたが、それはディープマインドが開発するディープラーニングのおかげである。

「タイム・フライズ・ライク・アン・アロウ」（光陰矢のごとし）

この文章を和訳するとき、それまでのマシンラーニングでは「時蝿（ときばえ）矢のように」のような不完全な訳語になってしまった。しかし、ディープラーニングに変わると、それが「光陰矢のごとし」という正確な英訳になった。

もともとグーグル翻訳は、国連の文章を利用していた。国連には公用語が6つあり、同じドキュメントを6ヵ国語でつくる。マシンラーニングはその関係をインプットすることで、パターン認識を行っていた。しかし、ディープラーニングは一文一文の文章の構造を認識し、この文章はこういう意味だと自分で考えながらつなぎ合わせていく。パターンの数が圧倒的に多いことから、より現実に近い翻訳ができる。

ユーチューブの買収も顕著なケースだ。

グーグルもかつて「グーグルビデオ」という動画サイトをつくっていた。しかし、爆発的な人気を誇ったユーチューブにはまったく追いつくことができず、自社のグーグルビデオを見切ってユーチューブを買収した。

グーグルビデオが失敗した原因は、見せ方だろう。

「グーグルビデオです。動画の検索ができます」という点だけ強調していた。だが、これでは、何を検索すればいいのかわからない。ユーチューブが成功したのは、はじめから「こんな動画が面白いですよ」というリコメンドが出てくる仕組みだ。人は、何かを提案されるのを好む。動画を見終えたら「あなたへのおすすめ」というメニューが表示され、興味をひくであろう動画を際限なく薦められる。動画はユーザーが勝手にアップロードしてくるので、コンテンツが枯渇する恐れもない。そのスパイラル効果によって、飛躍的に価値が高まっていった。

　グーグルが拡大したのは、その多くが買収によるものだ。ディープマインドもユーチューブもアドワーズも、買収してから大きくなっていった。アンドロイドはその好例だ。もともとは、アップルのｉＯＳが登場する２００７年より少し前から開発が始められた。そのときのコンセプトは、デジタルカメラにＯＳを搭載し、通信機能を付ける、つまり、「カメラを携帯電話にする」というものだった。アンドロイドを買収したグーグルは開発をさらに進めるなかで、携帯電話のＯＳとして使えると気づいた。そこからの成長ストーリーはよく知られている。

　ただ、残念ながらフェイスブックは買収できなかった。数千億円の買収価格を提示したものの撥（は）ねのけられ、60兆円を超える時価総額となったいまでは、とても買収などできない。グーグルとしては、歯嚙みする思いだっただろう。

グーグルには、２０１３年から２０１６年の終わりまでの4年間在籍した。テクノロジーの進化の流れをつかみ、必要であれば積極的に取り込む。そうしたスタンスのグーグルに在籍したことで、世界のテクノロジー企業に対する意識が高まった。

海外にもアンテナを伸ばしたことで、最先端のテクノロジーをすべて見られたのは今でも大きな財産になっている。世界の最先端を常にウォッチできたのは、グーグルならではのメリットだった。おそらく、ほかの企業に入っていたらできなかったと思う。

もちろん、グーグル内部にあるテクノロジーにも衝撃を受けた。だが、アメリカを含む世界各地で研究が進む最先端テクノロジーのほうが衝撃は大きかった。アマゾンのAWSは、グーグルより先にクラウドサービスに乗り出していた。それまでは、外部にデータを貯蔵する「記憶媒体」として使っていたクラウドサービスを、アマゾンは計算などの「コンピューティングパワー」として使う発想に転換していた。これには驚いた。

スケールも違えば、使い勝手もはるかに優れている。そうした新たなテクノロジーが世界中のベンチャー企業から次々と生まれてくることを知ったのは、大いに役立った。

世界のベンチャーが開発するテクノロジーを注視する

２０１７年に入り、グーグルを辞めてからは、ベンチャー企業を支援するビジネスに携わっている。

グーグル時代に「グーグル・フォー・アントレプレナーズ」という起業家のためのボランティアに参加していた。それが縁で声がかかり、ニューヨークの起業家支援財団の日本支部の立ち上げをやってほしいと依頼された。

起業家のなかには、シリコンバレーには参加できないが、優れたベンチャーが集積するエコシステム（複数の企業が協業し、参加企業それぞれが持つ技術を効果的に生かしながら、共存共栄を狙う仕組み）を必要とする人もいる。財団の立ち上げは、彼らのためのエコシステムを構築し、ビジネスをサポートする狙いがあった。

舵を取るのはマネックス証券の松本大さん。私に声をかけてくれたのは、雑誌『フォーブス ジャパン』のオーナーの高野真さんだった。エコシステムを構築するには、現地に支部がなければ成立しない。資金だけでなく、ネットワークをも提供する。各支部には成功した起業家や元起業家がいるので、有望な起業家の持つネットワークを彼らに紹介し、日々のマネジメントに関するサポートを続けた。

1年ほどして起業家支援も軌道にのり、次に働くべき場所を探しているときに、古巣のハーバード大学のとある研究室から、「『ポケモンGO』のリサーチをしたいが、任天堂に連絡しても返事が来ない」という相談が入った。先ほどもお話ししたように『ポケモンGO』はもともとグーグルマップチームが始めたものだ。任天堂はポケモンのキャラクターライセンスを貸与しているにすぎない。好意で先方とのミーティングをセットすると、非常に感謝された。

外国のアカデミアが日本企業とコラボレーションしたいと思っても、アカデミックとビジネスの間にはギャップがある。つながるための窓口もない。しかし、私は双方に所属していたので両者をつなぐことができる。

その一方、日本企業は真面目で優れた仕事をしているにもかかわらず、海外にアピールをするのが上手ではない。きちんとデータを取って論文にすることが不得手なので、そういった活動をサポートしたいとも思った。この仕事をするには、シリコンバレーが最適だ。日本企業が新しいビジネスを始めるとき、新規事業部の担当者がシリコンバレーに派遣されるケースが多かったからである。私は、シリコンバレーに行こうと決めた。

もともと私は、２００７年ごろからベンチャー投資を手がけていた。

実家が経営する化学系の企業が大阪証券取引所に上場したあと、１９８５年の日航機事故で父が亡くなると、資本関係があった企業が人を送ってくれた。しばらくはそのまま経営を続けたが、上場して数年後にその会社から買収を持ちかけられ、現在は１００％子会社になっている。その後、私は投資事業を本業とするようになった。

いわゆるエンジェル投資である。財団を辞める前には、すでに3社ほど投資していた。投資先を少しずつ増やし、それを本業にしようと決めた。財団での業務で、成功した起業家を数多く見てきた。

成功する起業家は、10年後も同じ事業を続けているほどの情熱を持ち、周囲の力を上手に借りられる。そして、自分のビジネスによって世界を変えたい、世界を変えるためにビジネスの規模を大きくしたいという大きなモチベーションがある。この点の目利きに携わった経験のおかげで、ベンチャー投資に自信を持つことができた。

具体的な投資先としては、時価総額が１０００億円を超えたリキッド・バイ・コインというブロックチェーン関連の日本企業がある。この会社は、ブロックチェーンに関してアジアの最大手の位置をうかがうところまで成長した。アメリカ企業ではハーバード大学が経営し、ファッションのサブスクリプションを手がけるマテリアル・ワールドがある。経営者は7年かけて黒字化するところまでビジネスを伸ばしている。

投資対象としてはIT以外の分野も見ているので、グーグルにいた当時よりさらに視野が広がっている。エンジニアではないので、深さはそれほどではないかもしれないが、広さに関しては自信を持っている。その点を差別化要因として、いまではシリコンバレーだけでなく、中国の深圳(シンセン)やイスラエルなどでも活動している。

第2章　基幹テクノロジーの進化史

やや遠回りに感じるかもしれないが、歴史的経緯を簡単に押さえておくとテクノロジーの理解はぐっと容易になる。

現在は、第四次産業革命のさなかと言われている。１９８０年代から１９９０年代に、世の中は加速度的に変わってきた。その原動力が**半導体**である。

まず半導体でコンピューターの処理速度が上がり、**インターネット**が出現した。さらに処理速度が上がることで、人々がパソコンやスマホを使ってさまざまなコミュニケーションを取り始めた。そのデータが爆発的に増え、さらに処理速度や通信機能が向上することでデータの蓄積が容量の大きさ、出し入れの速度ともに進化した。そのため、豊富なデータを必要とする**人工知能**も進化を遂げた。現代はそういう時代である。

現在、テクノロジーの進化はトップスピードになっている。

この流れに遅れずについていくには、半導体前後、インターネット前後、人工知能前後で「何が」「どう変わったのか」を理解しておく必要があるように思う。テクノロジー進化の歴史をまず網羅的に示すことで、その延長線上にある現在のテクノロジーの土台を理解できるはずだ。

ただし、新しい話にのみ興味がある方は、この章は飛ばしていただいてもかまわない。

基幹テクノロジーの進化①　半導体

半導体（セミコンダクター）の歴史は、1821年、「熱電変換効果」の発見に始まる。熱電変換効果とは物体の温度差が電圧に変換される現象を指し、物理学者のトーマス・ゼーベックが発見したことから「ゼーベック効果」とも呼ばれる。

物質は電気をよく通す導体、電気をまったく通さない絶縁体、ある条件を満たす状態で電気を通す半導体とに分類される。その条件とは熱・光・磁場・電圧・電流などで、その強弱や増減によって電気の流れを制御できる。

この半導体の特性を利用した電子部品を半導体素子といい、原材料にはシリコン（ケイ素）が使われる。半導体素子にはトランジスタ・集積回路（IC・LSI）などがあり、コンピューター、スマートフォン、ゲーム機など、あらゆる電子機器に内蔵されている。

実際に半導体が実用に適してきたのは1920年代からであり、第二次世界大戦ごろにかけて実用化に向けた研究・開発が盛んになった。具体的には、赤外線の検出による船舶や航空機の「熱紋」の捕捉、光無線通信による音声通話などが中心だった。

第二次大戦後の1947年、AT&Tベル研究所において、トランジスタの実験が行われ、そこで音声信号の増幅作用が確認された。

トランジスタは電気の流れをコントロールする作用を持つ装置で、小さな電気信号を増幅させたり、信号によって電気を流したり止めたりするスイッチの働きをする。信号の伝達を表す「トランスファー」と、抵抗を示す「レジスタ」を合成させて生まれた言葉である。これが最初の半導体の転機となった。

1952年、米テキサス・インスツルメンツ（TI）が半導体ビジネスを始め、1954年にトランジスタラジオを開発すると、日本でも東京通信工業（現在のソニー）がトランジスタラジオTR55を開発し、TIに追随する。

1954年、ベル研究所が世界ではじめてトランジスタを実装したコンピューターTRADICを開発すると、その5年後の1959年には米IBMが業務用のトランジスタ式コンピューターを開発した。1950年代は、トランジスタが半導体産業を牽引する。

シリコンバレーの誕生

1958年、TIのジャック・キルビーは集積回路（IC＝インテグレーティッド・サーキット）の仕組みを発明した。ICは一つのシリコン半導体基板の上に、トランジスタ、抵抗、コンデンサなどの機能を持つ素子を多数つくり、まとめた電子部品だ。その素子の数がさらに大規模になったものがLSI（ラージ・スケール・インテグレーション）である。

だが、なかなか大量生産に結びつけることができず、大規模な商用化には行き詰まりを見せていた。その逆境を打開したのは、米フェアチャイルド・セミコンダクター（2016年、米モトローラから分離・独立したオン・セミコンダクターに買収される）という企業である。

1959年、フェアチャイルド・セミコンダクターがシリコンの基板上にICを形成する「シリコン・プレーナIC技術」を確立したことで、シリコン基板上に複数のトランジスタを安定して設置する技術が可能となった。その結果、1960年代に半導体の大量生産が実現し、半導体テクノロジーはIC中心の時代に移っていく。シリコンICは大型コンピューターやミニコンピューター（ミニコン）など、主に業務用の電子計算機に組み込まれた。

　フェアチャイルド・セミコンダクターの本社は、カリフォルニア州サンタクララのマウンテンビューにあった。この辺りにはその他多数の半導体企業が集積していたこと、半導体の主な原料がケイ素（シリコン）であったこと、一帯の地形が谷（バレー）だったことから、シリコンバレーと呼ばれるようになった。


　半導体の進化に勢いがつき始めた１９６５年、米インテルの共同創業者の一人ゴードン・ムーアは、自らの論文で「半導体の集積率」について論じた。彼は、同じ面積のチップ上に搭載できる集積回路の部品数は18ヵ月（1年半）ごとに2倍となり、指数関数的に増えていくと予測した。具体的には、１９６５年時点で60個程度だったものが、10年後の１９７５年には6万５０００個になるとした。この概念がのちに「ムーアの法則」と呼ばれるようになる。そしてちょうどこの時期、半導体の進化を担うプレイヤーが出揃った。

　ムーアの法則から約10年後の１９７６年、フェアチャイルド・セミコンダクターはフェアチャイルド・ビデオエンターテインメント・システムというテレビゲーム機をつくった。その後一世を風靡する米アタリ以前のゲーム機のはしりである。半導体の進化は、現在まで続くゲーム機の進化を後押しする。

ただ、ゲーム機としては当初、限定的な機能しか持てなかった。非常にシンプルな、いわゆる「ただ画面に表示させるだけ」が精一杯で、高速な処理を必要とする複雑な動きの処理はかなり時間がかかるか、できないケースが多かった。

ゲーム機と同じ時期に、半導体の進化によってマイクロコンピューター（マイコン）が登場した。初期のコンピューターは「メインフレーム」と呼ばれる、大型かつ業務用が中心で、それを小さくしたのがミニコンであり、さらにそれを小さくしたものがマイコンと考えていい。概念的には、現在のパソコンに非常に近い。

世界初のマイコンと呼ばれているのは、1970年に発売されたデータポイント2200（CTC＝コンピューター・ターミナル・コーポレーション）である。その後1974年に米MITSから発売されたアルテア8800は、1975年までに100万ドルを売り上げた。このブームによって、一般の人にも「コンピューターは買える」というイメージが広がった。ただし、これらは個人の趣味の範囲にとどまり、完成品ではなくキットとして販売されたため、購入後に自分で組み立てられる「コンピューターギーク（オタク）」が主要ユーザーだった。

１９７７年に発売されたアップルⅡ（米アップル）、１９８１年に発売されたＩＢＭ ＰＣ、１９８２年に発売されたコモドール64（米コモドール）などがその後のパーソナルコンピューター（パソコン）への流れをつくっていく。

１９７０年代はまだミニコンが主流だったので、業務用中心のコンピューター市場のなかで、個人用として健闘していたにすぎない。それでも、マイコンの登場で半導体の出荷量は急激に増えた。結果として半導体の価格も下がり、機器の価格も下がってさらに売れる。売れれば売れるほど開発費がメーカーに入るようになった結果、より速い処理速度の半導体の開発に成功していく。処理速度が上がることでさらに性能の良いマイコンが発売され、新しいユーザーを獲得してさらに売れるという循環に入っていった。その好循環が１９９０年代後半以降のパソコンの爆発的普及をもたらしていくのだ。

よって、ここからは半導体のチップ上にどこまで集積回路を搭載できるかというテクノロジーの進化が、パソコン・ゲーム機・携帯電話などの機器の進化を決めていった。

半導体メモリから3Dトランジスタへ

その重要なテクノロジーは、半導体メモリとマイクロプロセッサである。コンピューターは、メモリに記憶されたデータを使って計算される。そのデータを一定期間貯蔵し、自由に取り出せるようにしたのがメモリである。コンピューターに内蔵されたメモリを、内部記憶装置（主記憶装置）という。この内部記憶装置であるメモリに直接アクセスできるのがプロセッサだ。プロセッサは、メモリに記憶されたデータを読み込んで実行に移す役割を担う。読み込む際の指示は厳密に定められ、これを命令セットと呼ぶ。このメモリとプロセッサにも半導体が使われる。

半導体の集積回路にデータを格納したものが半導体メモリである。これには自由に読み出しや書き込みができるRAM（ランダム・アクセス・メモリ）と、読み込み専用のROM（リード・オンリー・メモリ）に分類される。RAMは一時的な作業領域で、電源を落としたときにデータが失われるが、その代わりに、低価格かつ処理速度のスピードが求められる。一方のROMは、決まった内容のデータを読み出すためのメモリで、電源を切っても消えない特質がある。

プロセッサを1個の半導体チップに集積させたのがマイクロプロセッサである。小型化高速化によるムーアの法則によりマイクロプロセッサの集積数が飛躍的に高まり、現在ではコンピューターの中央演算処理装置（ＣＰＵ）と同義で使われるようになった。

これらの機能は、すべて半導体の集積回路の進化に同調する。

集積回路は、当初は「歪み（ひず）シリコン」という方法で詰め込んでいた。これは特殊な配置の仕方で、普通は平面状に並べるところ、半導体を構築する部分だけを層状にして、シリコン原子同士の間隔を広くした。そのため電気の流れがスムーズになり、高速化と省電力化を実現した。それをさらに進化させたのが、ハイケーゲート絶縁体を使った半導体である。処理能力はさらに上がり、小型化と省電力化が促進された。つまり、携帯できるデバイスの進化を促進し、デバイスを電池で動かせるようになったのだ。

さらに半導体を進化させたのが、３Ｄトランジスタという技術だ。平面に並べるのでは限界があるため、３次元構造にして立体的にも並べてしまおうという狙いだ。半導体に求められるのは小型化、高速化、省電力化の３点なので、現状ではこの３Ｄトランジスタ技術が半導体の進化の到達点になっている。クラウドが登場した２００７年から２００８年あたりからは、デバイスの小型化が必要なくなっていく。そういう意味では、半導体の開発競争は一応の落ち着きを見せたと言っていい。

ただ、一つ重要な観点がある。パソコン用のマイクロプロセッサはインテルの独壇場だったが、モバイルでは成功しなかった。インテルのプロセッサはかなりの電力を使うため、スマホ向きではなかったからだ。替わって躍進したのがクアルコムである。スマホに最適なマイクロプロセッサは、省電力化と小型化が重要な命題だった。高速処理と省電力化は二律背反的な面があり、パソコン用の高速処理を志向したインテルは省電力化で出遅れた。現在、スマホのハイエンド機はクアルコムが強く、低価格機はファーウェイなどが強いとされている。

半導体が登場した当初と比べて、現在ではどのくらい進化しているのだろうか。それを感覚的に表すのが、自動車の性能にたとえた次の事例である。

1971年に時速10マイル（16キロ）で走れる自動車がムーアの法則によって進化すると、2015年には時速3万マイル（約4万8000キロ）で走れるようになった。1971年に25000ドル（1ドル100円として25万円）だったこの自動車が、2015年にはわずか4セント（1セント1円として4円）で買える。速度は3000倍、コストは6万2500分の1になる計算だ。半導体の進化が、いかに驚異的か、おわかりいただけると思う。

基幹テクノロジーの進化②
インターネット

アメリカ国防総省は1958年、最先端テクノロジーの軍事利用のための研究組織として、高等研究計画局（ARPA＝アドバンスト・リサーチ・プロジェクツ・エージェンシー）を設置した。現在のアメリカ国防高等研究計画局（DARPA）の前身である。

1967年、ARPAの資金提供により、パケット通信ネットワークの構築を目指すARPANETプロジェクトが発足する。その狙いは軍事目的に限ったわけではなく、それまで頻繁に途切れていた通信ネットワークを安定的なシステムにしようとしたのがもともとの始まりだった。

1969年10月29日、ARPANETはカリフォルニア大学ロサンゼルス校（UCLA）とユタ大学、カリフォルニア大学サンタバーバラ校（UCSB）、スタンフォード研究所（ＳＲＩ）の４拠点をつなげて交信が行われた。これがインターネットの起源だ。

その直前、１９６８年８月にイギリス国立物理学研究所のドナルド・デービスは、パケット交換による通信のアイデアを発表している。当時の通信は、基本システムの脆弱性から「途切れる」前提で考えられていた。パケットとは、ウェブサイトのコンテンツのうちこの画像はこのパケット、この文字はこのパケットという形で情報を細切れにしたものだ。細切れにすると、通信が途切れた場合でも途中から再開しやすくなる。データをより送りやすくしたのがパケット通信の功績である。

ＡＲＰＡＮＥＴはそのアイデアに影響されているが、イギリス政府はデービスの提案を採用しなかった。

アメリカとイギリスでさまざまな開発が進むなかで、画期的な出来事が起こる。１９７８年にイギリスの郵政省、アメリカの金融会社ウエスタンユニオン、同じくアメリカのティムネットが世界初のパケット通信を始めた。すべて通信に携わる省庁や企業であることから、おそらく電話回線に代わる通信手段を構築しようと考えたようだ。

この通信網はヨーロッパとアメリカに広がり、１９８１年にはカナダ、香港、オーストラリアなどを巻き込みながら国際的な広がりを見せ、１９９０年代には国際的なネットワークの基盤となるまでに成長した。

当時、インターネットという言葉は正式に使われていなかった。ネットニュースを配信する「Ｕｓｅｎｅｔ」や、電子掲示板同士の通信ネットワークの「ＦｉｄｏＮｅｔ」など局地的な通信ネットワークを「○○ネット」という形で呼んでいたにすぎない。１９８０年代後半までは相互乗り入れもインターネットという概念もなく、単に国や地域をまたいだネットワークがあり、それぞれがバラバラに動いていた。

それを統合する契機となったのが、全米科学財団（ＮＳＦ）が構築したＮＳＦＮＥＴである。１９８０年代半ばから局地的な通信ネットワークをリンクさせる必要性を訴え、１９８７年７月に最大56キロビット／秒の速度でデータを送信できるネットワークを構築することに成功した。ＮＳＦＮＥＴは前述のＡＲＰＡＮＥＴを吸収し、現在のインターネットの概念に近いシステムが構築された。アメリカ国内にとどまらず、ヨーロッパで最先端のネットワークを構築していたＣＥＲＮ（欧州原子核研究機構）も１９８９年にはインターネットに加わった。

相互乗り入れをするには、それぞれのネットワークによって異なるプロトコル（通信規約）を統一しなければならない。すでに使われていたＴＣＰ（トランスミッション・コントロール・プロトコル）とＩＰ（インターネット・プロトコル）を１９８２年にアメリカ国防総省がインターネットの標準プロトコルと定め、ＴＣＰ／ＩＰが業界標準となった。

さらに、ＣＥＲＮのティム・バーナーズ・リーが１９８９年にワールド・ワイド・ウェブ（ＷＷＷ）を発明する。ＷＷＷは、インターネットにおける情報伝達の仕組みの一つとして、とくにテキストや画像、動画を公開・閲覧するためのシステムである。１９９０年に実装され、世界初のウェブページが公開された。このころ、現在へと続くインターネットの基本的なテクノロジーが出揃った。

ブロードバンドと光回線

インターネットの広がりは、１９９０年代後半になって本格化する。それは、データ通信の速度と容量に比例して進化していく。

ＩＳＤＮ（サービス総合デジタル網）の時代は、ダイヤルアップによって電話回線にデータを乗せる荒技をやってのけた。しかし、キロビットの世界でしかデータを転送できない制約があり、その速度も容量もわずかしかなかった。ご記憶の方もおられるだろうが、送信ボタンを押すと「ピーヒョロロロロー、ガーガーガー」というイライラするような音が鳴り、鳴っている間にデータが転送された。しかも、ダイヤルアップで接続しているうちは、電話がかけられない不便さに悩まされた。

その環境が劇的に改善されたのがＡＤＳＬ（非対称デジタル加入者線）だ。ＡＤＳＬは一般家庭にあるアナログの電話回線を利用してインターネットに接続するサービスで、孫正義氏が率いるソフトバンクが赤い袋に入ったモデムを無料で大量に配布したことで知られる。電気が通るケーブルさえあれば電気信号を届けられ、幸い日本ではファクス用に使われていたメタル回線があった。ここに電気を流して通信をさせることで、容量と速度が爆発的に改善した。これがいわゆるブロードバンドである。

一方、アメリカではＡＤＳＬがそれほど普及しなかった。アメリカはＩＳＤＮが主流だったため、ＡＤＳＬに必要なメタル回線がなかった。むしろ、ケーブルテレビが普及していたので、そのケーブルで電気信号を送る形態のほうが多かったのだ。

日本のＡＤＳＬは、もともとＮＴＴがサービスを始めていた。ＮＴＴがメタル回線を引いたのは、彼らがＡＤＳＬの有用性を認識していたからだ。ただ、ＮＴＴはあくまでも回線使用料で利益を出そうとしたため、設置工事費、モデム使用料金などをすべて回収しようとすると、月額使用料を高くせざるを得なかった。

ソフトバンクが無料で配布した狙いはそこにあった。インターネットに親しむ人が増えればヤフーの広告を見る人が増え、結果的に広告の価値が上がり、広告からお金を回収することができる。そこで、無料でモデムを提供し、月額料金自体も安く設定し、顧客を囲い込むことを狙ったのである。

ＡＤＳＬが普及したことで、インターネットは常時接続が可能になった。気軽にインターネットが使えるようになり、画像一つを送るのも大変だった環境が、ストレスなく画像が見られるようになった。ただし、ＡＤＳＬでも動画は難しかった。15秒から30秒程度の短いものはまだしも、ダウンロードしながら再生するストリーミングなど、とてもできるような環境ではなかった。

光回線の登場は２００４年ごろである。いわゆるＦＴＴＨ（ファイバー・トゥ・ザ・ホーム）と呼ばれ、光ファイバーを個人宅まで引き込む方法だ。これによって１００メガビット／秒でつながるようになり、ようやく安定して長時間の動画が送れるようになった。

そこからは、光ファイバーの容量と速度の進化の歴史である。それとともに、インターネットのサイトも発展をたどる。速度が上がった結果、ユーチューブなどが出てきた。グーグルもグーグルビデオというサービスを出すが追いつけず、ユーチューブを買収することになる。１００メガビット／秒だった光ファイバーは、２０１９年現在、１ギガビット／秒から10ギガビット／秒にまで進化している。およそ１０００倍の進化である。動画の速度が上がると同時に画質も格段に向上した。

ニワトリが先かタマゴが先かの議論と同じく、テクノロジーが進むからコンテンツが生まれたのか、コンテンツのニーズがあったからこそテクノロジーが進化したのかは明確化できないだろう。昔の遅いインターネットであれば動画を上げることはなかったが、速くなったおかげでユーチューブが登場し、動画を上げたい人たち、それを見たいと望む人たちがもっと速い回線が欲しいと要求する。この繰り返しがテクノロジーを進化させたのは間違いない。

インターネットのコンテンツという意味では、テキスト→画像→動画という3段階の進化が見られる。通信の進化によりコミュニケーションの速度が上がったため、電子メールの時代から、リアルタイムでチャットができ、スタンプも送れる時代に変わった。

携帯電話通信の歴史——1Gから5Gまで

インターネットに関しては、モバイル通信、すなわち携帯電話などによる通信の進化の歴史も重要だ。

1979年、世界初の第1世代移動通信システム（ファースト・ジェネレーション＝1G）が日本で実用化された。すべてアナログの無線技術である。ただし、これは自動車のトランクに無線機を積んだ「車載電話機」で、現在の携帯電話とは概念が異なる。

持ち運びのできるポータブルタイプの携帯電話は、1983年にモトローラが市場に送り込んだのが最初である。日本でもNTTが1985年に「ショルダーフォン」を発売し、文字通り「携帯できる電話」がスタートした。

しかし、かつて近未来を描いた漫画にも出てきたような、ショルダーバッグ型の大きな携帯電話は、携帯するにはあまりにも重かった。無線機本体と電池がセットになったものは約3キロにも達し、ほとんど普及しなかった。ごくわずかな富裕層や法人向けの需要に限定され、緊急の電話をする人しか利用しなかった。

2年後の1987年、手に持てるタイプの携帯電話が登場した。それでも約1キロの重量があり、一般の需要にまでは発展しない。現在イメージできる携帯電話にもっとも近い超小型のタイプは、１９８９年に発売されたモトローラの「マイクロタック」である。それに対抗する形でＮＴＴが発売したのが「ムーバ」だったが、市場に登場したのは１９９１年のことだった。このあたりで、ようやく携帯電話という呼称が一般的になる。

１９９０年代に入ってデジタル無線のテクノロジーが結実し、１９９３年にＮＴＴが世界に先駆けてデジタル方式の携帯電話を発売した。これによって、時代はセカンド・ジェネレーション（２Ｇ）に移った。

ただし、ＮＴＴの規格はＰＤＣといい、日本と韓国、それに北朝鮮ぐらいしか採用しなかった。そのほかの国はＧＳＭという規格を採用し、日本より１年早い１９９２年にドイツでサービスが開始されている。同時に、当初はアナログ方式のサービスも継続され、２０００年にすべてのキャリアで終了するまで続けられた。

１９９７年にはデジタルホングループが、携帯電話で初めてショートメールサービスを導入し、各社が追随する。そして１９９９年２月、ＮＴＴドコモが提供する世界初の携帯電話インターネット接続サービス「ｉモード」が開始された。

ｉモードによって、メールサービスやウェブページの閲覧が安い価格でできるうえ、壁紙や着信音のダウンロードなどができたため、若者に受け入れられた。しかも、２Ｇになって携帯電話が一気に小型化・高性能化したこと、一つの端末でメッセージを送受信できるようになったことにより、利便性も高まった。

とくに流行をリードする女子高生に受け入れられたことが大きい。１９９０年代前半、女子高生の特権はポケットベルを持っていることだった。その特権は１９９５年にサービスが開始されたＰＨＳを経て携帯電話に移り、ｉモードが始まったことで携帯電話への乗り換えが一気に進んだのだった。

２００１年、ＮＴＴドコモは世界に先駆けてサード・ジェネレーション（３Ｇ）のサービスを開始した。Ｗ－ＣＤＭＡ（Wideband Code Division Multiple Access）方式の「ＦＯＭＡ（Freedom Of Mobile multimedia Access）」である。ＦＯＭＡが画期的だったのは、パケット方式をデジタル化したことで大容量のデータの送受信が可能になったことだ。いまとなっては信じ難いが、携帯電話のテクノロジーは日本がもっとも進んでいた。日本の折りたたみ式のデバイスは素晴らしく、写真をメールに添付して送る「写メール」やテレビ電話などの機能も多く、短い動画を添付できる「iモーションメール」など、3Gならではのサービスが始まった。

この証左として挙げられるのが、2001年にグーグルが初めて海外オフィスを設置した国が日本であることだ。それはちょうど、3Gのサービス開始時期と重なる。それだけ日本の通信技術とiモードが世界にアピールしていたということになる。iモードそのものは2Gでも可能だったが、2Gから3Gに移行するタイミングでサービスを拡充し、世界で初めて通信規格を共通化した。

そのさなか、2007年にアメリカで登場したのが、アップルのiPhoneだった。当初は2G対応の機種しかなかったため、日本では発売されなかった。3Gに対応した機種が発売されたのが翌2008年で、これによって全世界で爆発的なヒット商品となっていく。

2010年にはNTTドコモからスマートフォン（スマホ）が発売され、2012年にはスマホの出荷台数がそれまでのフィーチャーフォン（スマートフォン以外の、カメラやワンセグ機能がついた携帯電話）を初めて超えた。

3GにはHSPA（ハイ・スピード・パケット・アクセス）という規格があり、3Gと

4Gの中間の3・5Gといった位置づけだった。3Gよりも通信の容量、速度とも進化し、ユーチューブなどの動画も見ることはできた。ただ、ストレスなく動画を見られるほどには速くなかった。まだまだユーザーの大半はパソコンのブラウザからウェブページを見るケースがほとんどだった。

そこからさらに進化したのが、2012年に正式に承認されたフォース・ジェネレーション（4G）である。チップの高性能化と周波数の開放によってさらに10倍の速度が実現した。これはLTE（ロング・ターム・エボリューション）の進化版で、それまでせいぜい100メガビット／秒だった通信の容量が、理論上ながら1ギガビット／秒になったことで10倍の速度が実現した。LTEは基本的により速い通信帯域を使う。周波数が高くなれば1秒間に起こる波が多くなるため、詰め込めるデータもそのぶん多くなる。同じ1秒という時間に送れるデータが多くなれば通信の速度が速くなる。

正式な4Gは、2015年3月からNTTドコモがサービスを開始した。その結果、動画がストレスなく見られるようになった。3Gから4Gになって急激に通信の容量が増えた要因は、チップとアンテナの性能向上だ。

ここから、2020年春に導入予定の5Gに進化していく。

基幹テクノロジーの進化③ 人工知能

人工知能の全貌を語るには、3つのブームを押さえる必要がある。

第1次ブームの始まりは、1956年7月から8月にかけて開催された「ダートマス会議」にさかのぼる。米ダートマス大学のキャンパスで開催された数学者、計算機科学者などが集まる会議に、主催者のジョン・マッカーシーや計算機科学者のマービン・ミンスキーらが参加、研究発表と議論が重ねられた。その会議を開催するための提案書で、初めて「人工知能（アーティフィシャル・インテリジェンス＝AI）という言葉が使われた。

1930年には、すでにスーパーコンピューターは存在していた。原子爆弾を製造するための計算など、軍事関連の計算をするための計算機科学は発展していた。終戦を迎えるころには神経学も発展していて、1950年ごろには人間の脳の神経細胞が電気ネットワークでできているらしいこともわかってきた。

それならば、電気的に人間の脳を模倣することができるのではないか。

そんな構想が生まれたのが、1956年の夏だった。


その後、さまざまな試行錯誤を繰り返す。1950年代、1960年代はAIの研究としては成果の連続だった。「探索・推論」「自然言語処理」「ニューラルネットワーク」などの分野で成功を収めた。有名なのは、ケンブリッジ研究所が発明した「意味ネットワーク」というモデルだ。言葉、知識、概念をネットワークで結び、その相関関係を表示することによって、コンピューターによる処理が簡便になる。

1960年代以降活発に研究が行われたが、研究そのものは進んでも、それらを使って何かできるかというと、特にできることがなかった。つまり、個別の事象に対しては効果を発揮しても、人間が直面する複雑で入り組んだ大規模な事象には適用できないことが露呈する。1969年にジョン・マッカーシーによって指摘された「フレーム問題」はその最たる事例だ。

人間世界に起こる現実問題を解くには、さまざまな可能性を検討しなければ最適解は導けない。たとえば、熱のある患者をコンピューターが問診するとして、熱の原因は風邪なのか、それともマラリアなのか、などといった具合に症状の可能性は無数にある。だが、それらをすべて検討するのは困難だ。そこで、ある枠（フレーム）を設定して関連する事象だけに限定して検討するのが一般的となる。それでも、どのように枠を設定すべきか、何が関連して何が関連していないかを決めるのは不可能だ。それができないのであれば、問題を解決することも不可能である。これがフレーム問題の要旨である。

簡単な計算問題や推論はできても、人間のように感覚的に動くことは不可能だ。この問題からある種の失望が支配し、第1次ブームはしぼんでいく。1970年ごろから1979年ごろまでの10年間は、AIが冬の時代を迎えた。

エキスパートシステムからディープラーニングまで

第2次ブームによるAI再浮上のきっかけになったのが、1980年代に出た「エキスパートシステム」である。これは、専門的な知識を持たない人が、専門家と同じレベルで問題解決ができるようサポートするコンピューターシステムのことだ。

発端は1972年にスタンフォード大学が開発した世界初のエキスパートシステム「マイシン」である。伝染性の血液疾患を診断し、原因となる細菌を確率順にリスト化し、治療に最適な薬物の候補を挙げるというものである。

この元になったのが「デンドラル」というエキスパートシステムだ。未知の有機化合物に分光計を当てたときに返ってくる反応によって、化合物の種類を特定する。簡易にインプットするとすぐに回答が帰ってくることから、高い評価を得た。

このデンドラルから派生したエキスパートシステムが、1980年代から1990年代初頭にかけて次々と開発される。これが企業に採用され、人工知能は再び春を迎える。

とはいえ、マイシンもデンドラルも、人間が測定した答えがあらかじめ用意されているシステムである。専門家の知識を単にパターン化し「Aという要素に対応するのはB」という論理的なパターンを入れただけなので、単なるパターン認識にすぎない。ただ、世間的にはヒットしたので、やはりAIは使えるのではないかと期待感が高まった。

しかし、もともと答えが用意されているものを説明するのは誰でもできるので、また幻滅される。企業がAIを事業に使えるのではないかと期待して莫大な資金を投じたが、よりいいものができるのではないかという期待は、再び失望に変わる。

1993年以降は半導体が目覚しい発達を遂げる。エキスパートシステムのような特定の問題だけではなく、音声認識やデータマイニング（大量のデータから特定の企業や個人にとって有益な情報を発掘する手法）などの分野が進化したり、ロボットカーなどが登場したりする。IBMの「ディープブルー」がチェスの世界チャンピオンに勝ったのは1997年のことだ。

ただし、これも実態は計算処理数が増えてきたことによる結果にすぎないので、ディープブルーという人工知能が人間に勝ったこと自体は画期的ではあるものの、爆発的なヒットにはつながらなかった。このあたりで、第2次ブームの灯は消えていった。

現在の第3次ブームを支えているのは、2006年から2007年に登場したクラウドコンピューティングによる。クラウドの登場によって計算力が爆発的に増え、いわゆるビッグデータの処理が可能となった。大量のデータを処理することで、あらかじめ人間が特徴を定義しているマシンラーニング（機械学習）ではなく、人工知能自らが大量の学習データから特徴を抽出するディープラーニング（深層学習）が実用化されていく。

クラウドの登場もディープラーニングを進化させた。ディープラーニングは人工知能の原点に戻り、人間の神経細胞をモデル化した論理の立て方である。現在のブームを支えるＡＩテクノロジーの中心だ。ディープラーニングを実装したＡＩが膨大なデータの量によってアルゴリズムを改良させ、さらに進化を遂げていく。

ディープラーニングはクラウドコンピューティングによって劇的に進化し、２０１４年にグーグルがディープマインドを買収したのはすでに見た通りである。ディープマインドを買収してから、囲碁の世界チャンピオンに勝ったり、２００９年から始まっていた自動運転の研究を加速させたりするなど、特筆すべき動きは多数ある。

人工知能は、未来を期待したけれども失望し、また何かが出てきて再び期待したけれども失望してしぼんでいくという繰り返しだった。それも、クラウドコンピューティングの登場によって一気に変わった。

もちろん、過度な期待がゆえに、そこに届かなければ再びしぼんでいく可能性はゼロではないが、クラウド以前とクラウド以後の決定的な違いは、計算力の飛躍的な向上とインターネットによってデータが大量に手に入るようになったことだ。高度な処理もできるし蓄積もできる。しかも安い。今回のブームは、そう簡単にはしぼまないだろう。

第3章

近未来を創るメガテクノロジー①

AI——データを使って認識・判断する

現在の人工知能にできること

人工知能（ＡＩ）ができることとは、まだ限定的である。

データの解析に関して具体的に可能なのは**「画像解析」「自然言語処理」「音声認識」**の三つしかない。現状では、それ以外のことをやろうとしても処理が追いつかない。これはコンピューターの処理能力の問題ではない。解析する方法がないのだ。このように現在のＡＩでは、できない命題がまだまだ数多く残されている。

「ＡＩにできないこと」のうちで代表的なのは「善悪」「倫理」の判断である。

有名な思考実験「トロッコ問題」がある。線路を走っていたトロッコ（路面電車）が制御不能になり、そのままでは前方で作業する5人の作業員が確実に轢き殺される。ある人が線路の分岐点にいて、その人がトロッコの進路を変えれば5人は助かる。しかし、変えた側の進路にも1人の作業員がいて、今度はその人が確実に轢き殺されてしまう。このとき、分岐にいる人間はトロッコの進路を変えるべきなのか。

これは「5人を助けるために1人を犠牲にしていいのか」という善悪の判断や倫理の問題である。こうした答えの出せない命題が、実際に自動運転を司るＡＩにも起こる。

レイ・カーツワイル教授が指摘した「シンギュラリティ」は、２０４５年に人工知能が人間の思考を凌駕(りょうが)し、意思を持って人間の思考を制御し始めるという仮説だ。

これは「強いＡＩ」と呼ばれる考え方だが、そのレベルにはほど遠いのが、現在のＡＩのレベルである。つまり、シンギュラリティという議論自体がナンセンスと言っていい。そういう観点に立つならば、いま現在のＡＩで何ができるのかを確認しながらビジネスに応用し、普及させていくというスタンスで臨んだほうがいい。


しかしながら、新しいブレイクスルーは必ず起こる。

善悪の判断、倫理、人間がアートをどのように感じるかなど、現在は手の届かない問題も必ず解析できるようになる。

音楽でさえ、「この人の好みはこういう傾向があるから、こんな音楽が好きなはずだ」と、ＡＩが最適化できるようになる。

ある人間がさまざまな音楽を聴き、それに点数をつけた音声データをインプットすれば、その人にとっての「良い音楽」にはどのようなパターンがあるか分析できる。

そこまでは現在の技術でも可能だが、その分析ができたとしても「あなたにピッタリのこんな音楽をつくってみました」という、作曲家が提供するクリエイティビティ能力までは、まだＡＩにはない。

だが、それも時間の問題だと思う。やがて人それぞれの感情や好みを満足させる音楽を、ＡＩ自らが生み出せるようになるだろう。

映画を製作するにあたり、監督は誰か、主役は誰か、予算はいくらかなど、複数の項目をインプットすると、およそ期待できる興行収入を弾き出すシステムがある。ただし、これはＡＩを使っているわけではない。残念なことだが「擬似相関」を応用しているにすぎない。

擬似相関とは何か。

「ライターを持っている人は、肺癌になりやすい」

この理屈には相関関係がありそうに見えるが、実は違う。肺癌を引き起こす大きな要因はライターではなく、あくまでもタバコである。そのタバコに火をつける役割を担うのがライターで、タバコを吸う人はライターを持っている確率が高いので、「ライターを持っている人は肺癌になりやすい」と理屈づけているだけだ。擬似相関は、一見、もっともらしく見える相関関係だが、ＡＩの仕組みはそれとは違う。重要なのは因果関係だ。

監督が誰か、俳優が誰か、予算規模はいくらか。それがわかれば、ある程度の相関関係は見える。しかし、興行収入という結果を導き出す因果関係にはならない。その組み合わせが必ずヒットするかどうかは、まったくの別問題なのだ。

映画がヒットする要因は、監督、俳優、予算規模以外にも「隠れた要因（隠れ層）」がある。スタッフの能力が高かったからかもしれないし、現場のチームワークがよく、その温度感が作品に反映されたのかもしれない。場合によっては、同じ素材を撮影しても、たまたま編集の腕がよく、魅力的な作品に変換できただけかもしれない。

映画という総合芸術は、勘や熟練によってゼロから発想し、現場で試行錯誤を重ねながら製作していくものだ。結果をあとから分析するのはたやすいが、イチからすべてつくり上げていくのは困難が伴う。こういった制作作業をＡＩにやらせることはできるはずだ。だが、人間が何を美しいと感じ、何を面白いと感じるのか、それらが脳のどこで反応しているか正確なことはまだわかっていない。これから脳の研究が進んでいけば、１００％の因果関係を保証できるものではないにしても、人間が製作するよりも高い確率でヒットを生み出すアルゴリズムは必ず生まれるだろう。

倫理的な問題、善悪の判断と同様に、ヒットする音楽や映画をＡＩでつくれるようになると断言できるのは、簡単に言えば、人間の脳でできることをＡＩに置き換えることが少しずつ可能になっていくからだ。いま、それができない原因は、ＣＰＵの演算処理の問題ではなく、どのようなモデルをつくるかというアルゴリズムが進化していないからだ。それも、どのようなものに脳が刺激を受けるのか、定量化できていない問題が多いという点に大きな原因がある。

すでに述べたディープラーニングは、人間の脳の神経細胞の仕組みをモデル化したニューラルネットワークをベースとしている。しかし、真似てはいても完全に同じものではない。近い将来、神経細胞の動きをより実際の脳の働きに近づけた複雑なモデルが開発されるだろう。それがブレイクスルーになり、これまでのディープラーニングでは解決できなかった問題を克服していくはずだ。

ディープラーニングでは不可能だったことが可能に

その端緒として挙げられるのが、2019年5月、グーグルの年次開発者会議（グーグルI／O）で公開された「穴埋め問題」である。

これまでのディープラーニングでは「これは花です」「私は人間です」などの普通の自然言語の解析はできていたが、一般的な穴埋め問題のように人間が「ここにはこういう言葉が入るのではないか」と予測するような問題は苦手としていた。

しかし、グーグルI／Oで、それができることが紹介された。

「1950年に、私は（　①　）に乗った」

「2000年に、私は（　②　）に乗った」

この二つの穴埋め問題について、ディープラーニングは①を自転車、②を自動車と埋めた。インターネットにある知識やデータベースの情報から、穴の中に入る言葉を推測したのだ。その画期的な進化を見て、自然言語処理が、翻訳やチャットアプリなどの既存の文章だけでなく、不完全な文章をも修復し、人間よりも正しい文章を書く可能性が生まれたことに驚いた。

ただ、グーグルI／Oには神経科学やディープラーニングの専門家ばかりが出席しているわけではなく、アプリの開発者が多かったため、彼らの多くはいったい何が起こっているかわからないようだった。

このように、これまでのディープラーニングの回帰分析では不可能だったことが少しずつ可能になり始めている。そこでは、現在のディープラーニングのような脳の神経細胞の動きを簡略化せず、より複雑なモデルを使っているケースも生まれている。

理論的には、現在のディープラーニングでも想定されている「隠れ層（データの入力層と出力層の間にある中間層。これが何層にもなっているのがディープラーニングの特徴である）」において、どの要素を互いに強め合うかをきちんと考慮しているモデルがある。

先ほどの「映画」の例で言えば、いい映画ができた要因は監督や俳優や予算などさまざまな要素があるが、表面的には数値化されにくい「監督と俳優の相性」「監督とスタッフの信頼関係」など、新しい要素を入れ込んでいくことが可能になっている。

つまり、単純な要素だけではなく、「こうかもしれない」という仮説をつくる能力をコンピューターに埋め込む技術が可能になってきたということである。いまはまだ善悪の判断ができない地点にいるが、隠れ層を理解するアルゴリズムを人間が考え出したことで発想が広がった。この先は、その発想を裏づけるための技術が伸びていくだろう。

ＡＩ研究の現状としては、先ほどの穴埋め問題のように、これまでＡＩでできなかった問題をさまざまな企業、さまざまな研究者が、さまざまなアプローチで試している。ある程度の成果が出たら論文を書き、それを足がかりに次のステージに挑戦するという試行錯誤が続いているところだ。ＡＩという人間の知能を再現しようとするテクノロジーの進化が、人間の思考の進化によって生み出される点が非常に興味深い。

いま行われている最新の研究は、画像から意味を抜き出す、画像解析の技術である。まだ完璧には確立されていないが、なかなか面白い分野だと思う。

そもそも画像解析では、特徴量（学習データの特徴を数値化したもの）によって判断している。人間の顔の判断は、目と鼻の距離で決めている。たとえば、この比率が3対4であれば山本さん、4対5であれば鈴木さんなどという具合に、特徴量でＡＩは個人を特定する。

ただ、目と鼻の距離よりも眉毛の太さのほうが特徴量を検知しやすいとなれば、眉毛の特徴量で解析する。画像認識では、別の要素のほうが正確さが増すという事態が起こりやすい。当然、そこで特徴量の軸としていたものが変わる。

これは自然言語処理でも音声認識でも起こり得る。これまでの軸として使っていた変数が変わることで、新たなアルゴリズムの誕生を促すことになる。

「テーブルの上にネコがいる」

この画像をＡＩに分析させたとして「テーブルの上にネコがいる」状態は現在のＡＩの水準でも認識できる。ここから一歩前進し、画像に映っているネコはどれぐらいの大きさで、これから何をしようとしているかまでを推論し、その結果を自然言語で表現する。解析した画像について「言葉で表現できるＡＩ」を開発するための実験が始められている。

ただ、こちらも、まだ実用化には時間がかかりそうだ。

自然言語処理の精度はクリアしていても、画像解析の精度が不足しているからだ。画像解析は、水とお茶のペットボトルが２本あったとして、水よりもお茶のペットボトルのほうが大きい場合、それを正確に解析できるかといえば、実際にはできていない。スナップショットで、大きさの異なるペットボトルを遠近法を使って同じ大きさになるように写真を撮った場合、いまのＡＩはその大きさを正確に認識することはできないからだ。

椅子の上に犬が乗っている写真が２枚あるとする。片方の犬は椅子の隅で安定して座っている写真で、もう片方の犬はいままさに椅子から落ちそうになっている写真だった場合、ＡＩはそれぞれの犬の状況の違いを正確に認識することはできない。シャツを着ている人の画像を取り込んだとき、その人が着ているシャツのサイズは1枚の写真では認識できない。いまは、それらの精度を上げるために複数の写真を取りこむボディグラムというベンチャーなどが、試行錯誤しているところだ。

ＡＩ秘書という形で、一人ひとりに秘書がつくようにもなる。

Ｇメールのユーザーは、アカウントを取得すると同時にグーグルカレンダーやグーグルドキュメントなど他のソフトが一緒に組み込まれるという体験をしているはずだ。グーグルカレンダーは、さまざまなサジェスチョンをしてくれる。

「あなたのスケジュールはこうだから、ここで整理整頓をしたらどうでしょう」

「このタイミングでジムに行ったらどうですか」

週に2回ジムに行くというゴールを立てると、自動的にちょうどいいところにジムの予定を差し込むように考えてくれる。

「この人のスケジュールは、現時点でこの部分が空いている」

「この人は、よく夕方にジムに行っている」

「指定した時間帯にジムに行ったとインプットすると、このサジェスチョンは成功したと判断する」

「そのデータが蓄積されていくと、次回ジムに行くべき最適な日にち、時間帯の精度がさらに高まる」

こう見ると、完全な秘書である。これを行うにはさまざまな相関関係を踏まえたデータ処理の精度が高くなければならない。「平日はＯＫ」「土日はダメ」「木曜日は可能」「水曜日はＮＧ」など、細かい条件が蓄積されていけば、データ処理の精度は高まる。

もちろん自然言語処理も関わってくる。ジムの概念を理解すれば、フィットネスを高めるために身体を動かす意味も理解できる。身体を激しく動かすには、直前に食事をしていると効果が出ないし、身体への負担も大きい。よって、食後の時間帯は避けるべきだ。そういう点まで考えてサジェスチョンしてくれるようになる。

ディープラーニングの次に生まれるもの

さらなる進化は、ディープラーニングの手法そのものを変えていかないと実現できない。現状では、正直なところ何がスタンダードになるかは未知数だ。ただ、ディープラーニングの先に進む研究は成果をあげ、まったく違うやり方は必ず出てくるはずだ。

私が投資家の立場で最先端のテクノロジーの動向を見ている限り、おそらくその技術はグーグルから生まれるのではないかと考えている。

そもそも、ディープラーニングの研究がもっとも進んでいたのは、イギリスやカナダのトロントだった。その情報を得たグーグルは、もっとも可能性のある企業をいち早く買収した。それがすでにお話しした２０１４年のディープマインドの買収である。その後、デミス・ハサビスという同社の社長は、水を得た魚のようにさまざまな取り組みを進め、成し遂げたのが囲碁の世界チャンピオンを破ったことだった。

もう一人、グーグルにはジェフ・ディーンという天才科学者がいる。彼はグーグルのＡＩ部門を統括している。頭が良すぎて、周囲がついていけないほどの天才である。記憶力が並外れているうえ、複雑な物事の構造化が桁外れにうまい。問題解決に至る仮定、前提条件を瞬時に思いつく力が人と比べてはるかに高い。天才のエビデンスを数え上げればキリがない。

彼らのようなスタープレイヤーが、アマゾンやアップルやフェイスブックにはまだまだ少ない。すでにＡＩを研究する著名な科学者は周知されていて、実はものすごい天才がいましたというサプライズの可能性は低い。だとすると、スタープレイヤーがそろったグーグルが、やはり現時点ではリードしていると考えるのが自然だ。

それを裏付けるには、スマートスピーカーを比較すれば一目瞭然だ。人の言葉をどの程度認識するかという視点で比較すると、現時点で精度が高いのはグーグルである。次いでアマゾン、アップルという順になる。フェイスブックは、３社に比べてやや見劣りする。

マイクロソフトに至っては、マイクロソフトオフィスというドル箱商品があるため、次世代に向けたクラウドへの投資が４社に比べて弱かった。しかし、インド生まれのサティア・ナデラのＣＥＯ就任後はクラウドに力を入れ始め、やや盛り返している。

というわけで、ＡＩにおいてはＦＡＡＮＧ＋Ｍ（フェイスブック・アマゾン・アップル・ネットフリックス・グーグル＋マイクロソフト）が大きくリードしているのは事実である。逆に言えば、ＦＡＡＮＧ＋Ｍ以外の企業がディープラーニングに代わるアルゴリズムを生み出すのはおそらく無理だろう。なぜなら、ディープラーニングというテクノロジーを可能にした大量のクラウドコンピューティングの大半を保有しているのが、ほかならぬＦＡＡＮＧ＋Ｍだけだからだ。ＡＩを開発するにはクラウドコンピューティングとＣＰＵによる膨大な計算力と膨大なデータの保存が必要不可欠なので、その分野の強者以外から何かが生まれるとは考えにくい。

この業界のかつての巨人であるＩＢＭは、ワトソンという「質問応答システム」を展開している。実際はＩＢＭも自ら定義しているように「コグニティブ（認知）・コンピューティング・システム」であり、「拡張知能（オーグメンティド・インテリジェンス＝ＡＩ）」である。つまり、ワトソンはディープラーニングのような機能がメインシステムとして実装されていない。むしろパターン認識に近いものだ。

ＩＢＭはサーバーというハードウェアを販売するビジネスモデルだったため、クラウドを推進すればするほど自分たちの利益が下がることを嫌った。クラウドに踏み込めなかったＩＢＭは、かつてのテクノロジーの王様の地位を手放さざるを得ず、先頭集団から大きく遅れてしまったというのが現状である。

もちろん、ケンブリッジ大学やトロント大学、あるいはスタンフォード大学などのテクノロジーに強い研究者が、ＦＡＡＮＧ＋Ｍのクラウドを使用することで、何か新しいものを生み出すといった可能性がないわけではない。研究者からすれば、研究資金は潤沢で、データは豊富に手に入り、大容量のコンピューティングパワーも使い放題と、喉から手が出るほど欲しい環境だ。

前述した、ジェフリー・ヒントンというディープラーニングのコンセプトを発表した人物は、大学教授を務めながら、グーグルにフェローとして在籍していた。このスタイルで何かを成し遂げた場合の功績は、大学ではなく所属する企業に反映されるので、アカデミアもＦＡＡＮＧ＋Ｍに囲い込まれていると言っていい。そういう意味では、やはりＦＡＡＮＧ＋Ｍ以外から何かが生み出されることはまずないと考えていい。

もしＦＡＡＮＧ＋Ｍ以外から新たなＡＩが生まれるとすれば、それは中国のＢＡＴＨからだろう。

中国の強みは何といっても膨大なデータだ。ベッドに寝ている人、トイレに入る人、街の交差点などや、人の生体データなども取っているかもしれない。そうした倫理的に問題があるデータも含め、大量かつ多様なデータをもとに、新しいアルゴリズムを構築して一気に開発を進めてくることはあり得る。ＡＩの性能は、データの量と優れたアルゴリズムの掛け算で決まる。データの量がアルゴリズムの質をつくると言ってもいい。中国のBATH、とくにアリババは良質のクラウド環境を整え、大量のデータを集めている。その価値に気づいたからである。中国がアメリカを超えるような優れたAIを持つのも時間の問題かもしれない。

なぜ中国にはデータが大量に存在するのか。それは13億人という膨大な国内人口に加えて、中国にはプライバシーという概念がないに等しいからだ。人々も、自分のデータは政府に取られるものだと思っている。先進国のようにプライバシーが問題になることはないから、あちらこちらに監視カメラが設置してあり、ほとんどすべての人の行動をデータとして蓄積している。

ここから先は私自身の意見となるが、日本やアメリカでも、利便性が増すのであれば個人情報は国がコントロールしてもいいと思う。人権やプライバシーにぶつかる問題だが、個人を特定しない「落としどころ」はあると思う。具体的にはマイナンバーやIDとの紐づけを行わず、性別、職業、年代などに絞ってデータを収集し、国で一元管理すればいい。そのデータを渡す相手を健全で信用力のある業者に絞り込むようにすれば、悪用などのリスクも減るはずだ。

シンギュラリティにはほど遠い現状をブレイクスルーするのは、今日のディープラーニングの延長線上とは別のベクトルにある。もちろん、ディープラーニングを簡略化されたモデルから複雑化して、より人間の脳を模倣することができれば、広義にはディープラーニングの延長線上にあると言えなくはない。

ただし、繰り返しになってしまうが、ディープラーニングの後継は単にコンピューティングパワーが上がれば生まれてくるわけではない。量子コンピューティングという新しい分野が確立されれば処理速度は今よりも劇的に速くなるが、処理に1万時間かかっていたものが1分でできたからといって、ブレイクスルーがすぐに起こるわけではない。

あくまでも、ここから先の進化は人間の発想の問題になる。

AIをビジネスの視点でとらえるには

ここまで見てきたように、未来の理論的な進化に関しては研究者に任せるとして、ぜひ読者の方に認識していただきたいのは、AIの応用である。

「AIはどこに使えそうか」

「こんなところにもAIが使われているのか」

この2点を常に意識していただきたいと思う。

最近の流行りであるスマートスピーカーは、なぜこのタイミングで市場に出てきたのだろうか。それは、AIの音声処理・自然言語処理というテクノロジーがある一定の水準に達したからだ。まずはそのように考える習慣を身につけていただきたいのである。

AIに関する未来予測は、さまざまな視点から提示されている。ただし、アカデミア、エンジニア、そしてジャーナリストが行う未来予測には決定的に欠けている点がある。それは、私のようなベンチャーキャピタリストという投資のプロが行う未来予測にある「どのように投資し、儲けるか」という視点だ。

テクノロジーの進化は、かつてない画期的なものであることに加え、ユーザーに受け入れられて広まるのかという視点に耐えうるかどうかが極めて重要だ。そうなって初めて、資金の出し手はテクノロジーの進化を期待する投資へと向かう。

儲かる視点と、テクノロジーが普及する視点には相関関係がある。

あるテクノロジーが登場し、それに多数のユーザーが満足してもっと欲しいと思って購入すれば、そのお金は企業の利益となり、その利益が研究開発資金となる。そのサイクルがうまく回り始めると、テクノロジーは爆発的に普及する。

端的な事例はｉＰｈｏｎｅだ。一部のユーザーしか登場を期待していなかったが、小額の投資で小さく開発を始めた製品が、世に出ると同時に多くのユーザーが評価し、一気に広がった。みんながｉＰｈｏｎｅのテクノロジーをコピーし、部品メーカーが質を高めようとテクノロジーを研究し、液晶メーカー、ＧＰＳメーカー、カメラメーカーなど、ありとあらゆる部品メーカーが儲かった。それぞれが利益を投資に振り向けることでさらにテクノロジーの質が高まっていく。このような健全なサイクルが回ったことで、ｉＰｈｏｎｅは驚異的に進化してきた。

別のパターンもある。このテクノロジーは社会的意義もあり、かつ多くのユーザーの心を捉え、絶対にヒットすると思ったとしても、莫大な金額の設備投資が必要になるケースがある。クラウドがその最たる例だ。

アマゾンのＡＷＳというクラウドサービスは、創業者のジェフ・ベゾスが金に糸目をつけずにサーバーをそろえ、サービスを提供できる状態にした。しかも、レンタルサーバーとしてはこれまで考えられないほどの安さに設定し、普及を最優先した。まずは収益よりも使ってもらうことを優先した結果、使いやすいという評判が評判を呼んで収益のサイクルが回り始め、現在はようやく収支も回り始めている。

クラウドを使う人や企業はじわじわと増えており、ネットワーク効果もあることから、さらなる普及が見込まれる。日本でも2020年秋から全省庁のデータをクラウドに切り替えると発表した。

いずれにせよ、ビジネスの視点を持つにあたっては、iPhoneタイプのわかりやすい進化のパターンと、クラウドコンピューティングのような見えにくい進化のパターンのどちらかのパターンにならなければ、テクノロジーは普及しない。


BtoBとBtoCの違いもある。

法人向けのBtoBは、新たなテクノロジーが徐々に浸透するケースが多い。個人と違って、法人は物事の変化に慎重なので腰は重い。ただ、一度入り込んでしまえば契約解除されにくい傾向がある。かつ、売り上げのボリュームも大きいため、参入コストは高いが安定して契約が続くので、供給する側の収益は安定してくる。当然ながら不況にも強くなる。

個人消費者向けのBtoCは、爆発的なネットワーク効果がある。スマホの登場初期は、使っている人が多ければ多いほど影響される人が加速度的に増えていった。いまも、流行をリードする女子高生が「ｉＰｈｏｎｅじゃなきゃスマホじゃない」と流行を下支えしている。

しかしながら、２０２０年の春から5Gに切り替わったとき、５Ｇの導入が遅くなる見込みの（５Ｇのチップをつくっているクアルコムとの訴訟合戦により、５Ｇの開発が遅れた）アップルのｉＰｈｏｎｅを見捨て、他社製のアンドロイドのスマホに乗り換える女子高生も一部には出てくる可能性はある。ブランドに愛着があり、５Ｇにこだわらない層は現状維持するだろうが、移り気なのが消費者だから、テクノロジーの進化に乗り遅れては競合に負ける。

儲かる視点から見たＡＩの近未来

そのような「儲ける視点」から見て、ＡＩはどこへ向かうのだろうか。

ディープラーニングによって、ＡＩができることがより高度になり、データに価値を持たせられるようになっていく。もともとは何もなかったところに力を授ける源になっていくのが、ビジネスにとってＡＩが持つ意味である。

たとえば、ＡＩを使うことで、これまでは収益化できなかったデータを収益につなげることができるようになってきた。

代表的なのは、ＡＩの中心機能である画像解析を使ったビジネスだ。

これまでのＡＩによる画像解析では、単に人の顔が写っている単純な画像があったとしても、そこに写っている人物の分析まではできなかった。しかし、いまは違う。人の手を介さずにＡＩが単独で顔を認識できるようになった。

いま、日本国内でタクシーの後部座席に座ると、目の前にタブレット端末が設置されていることがある。そこにはカメラが付いていて、乗ってきた客が男性か女性か、年代はどれぐらいかというデータを取り、取得したデータによって流す広告を変えている。ターゲッティングを絞り込むことによって、広告のミスマッチを減らす力を持ち始めたのだ。

このタクシー内に設置したタブレットをビジネスとして手掛けている企業は、以下のような表示を乗車前後に行い、告知を徹底している。

「このタブレットは、フロントカメラによる顔画像識別によってお客様の性別を推定し、最適なコンテンツを配信しています」

「画像データは推定後即座に破棄しており、（中略）一切記録しておりません」

このような、プライバシーに配慮すれば、という前提条件はつくが、収集・蓄積された乗客のデータから、今日は男性が何人乗ったか、今日は女性が何人乗ったか、この地点からは男性が乗りやすい、この地点からは女性が乗りやすいなどといった分析もできる。タクシー会社が仮に女性専用タクシーを始めるとしたら、データの分析から女性が乗りやすい場所にタクシーを向かわせたり、日にち、曜日、時間帯別に投入するタクシーの量を変えたりすることで最適化するようなことも可能になるだろう。

個人的にはそのほうが便利な社会であると思う。


画像解析については、医療分野でも進化している。

最近の論文には、もはや医師が診るよりＡＩのほうが肺癌の検知率が高いと書かれている。どれほどのベテラン医師でも、人間である以上ヒューマンエラーがある。確率は低くても、見逃してしまうケースは後を絶たない。将来的には、ＡＩよりも医師が診るほうがリスクが高いということになってしまう可能性も否定できない。

近未来は「検知」だけではなく、ＡＩによる「診断」もできるようになるだろう。

「喉が腫れていますね」

「顔色が赤いですね」

通常は問診をしながら患者の症状を目視し、医師は確定診断を下す。しかし、それは画像解析でも可能だ。むしろ、特徴量を定めておけば、医師よりも正確な診断ができるようになるかもしれない。

食事の管理もできる。食べ物の写真を撮ってインプットすれば、自動的にカロリー計算が行われ、現在の身体の状態から見て塩分を摂り過ぎかどうか、脂肪分を摂り過ぎかどうか、たんぱく質が不足しているなど、正確に分析してくれる。

個人の知識や能力には限界がある。それを補う役割は大事だ。自分ではできず、専門家しかできないことが、ＡＩによって自動的にできるようになる。逆に言えば、わざわざ専門家に頼まないとできないことが手軽に行えるので、これまで享受できなかったサービスやアドバイスを受けられるようになる。５Ｇ以降のデータ爆発、大量の送受信によって、その動きにはさらに拍車がかかるだろう。

なお、10〜11ページの図でも記したが、こうしたヘルスケア（健康管理）はＡＩによって今後大きく発展することが見込まれる産業部門の一つである。

たとえば、グーグル（アルファベット）傘下のヘルスケア企業であるベリリーでは、こうした人工知能と医療とを融合させる実験・研究を、自前の研究所で盛んに行っている。

アマゾンと、ウォーレン・バフェット率いるバークシャー・ハサウェイ、アメリカ金融界の老舗であるJPモルガンの三社が設立したヘルスケア会社ヘイブンは、現在新しい保険の開発に取り組んでいる。詳細は非公開なので推測するしかないのだが、従業員に限定する形で彼らの身体から健康医療に関するあらゆるデータを集め、加入者の生命をデータに即して反映させた、「より最良の保険」をつくろうとしているのではないかと予測されている。それが事実ならば、いずれは当然一般向けに保険の販売を行うだろう。

フィリップスやオリンパスなど、医療機器に強いメーカーは特定の製品については優れているが、データやAIを使ったこうした新しいテクノロジーをどれだけ自社製品に採り入れることができるだろうか。内視鏡や胃カメラなどに代わって、いずれは自走して手術を行うようなナノロボットが登場するかもしれない——その意味では、新しいヘルスケア産業は、グーグルとアマゾン連合との二強対決となるのではないだろうか。

先ほども少々触れたが、音声認識に関する最近の流行はスマートスピーカーである。アマゾンのＡＩアシスタント「アレクサ」が搭載された「アマゾンエコー」や、グーグルのＡＩアシスタント「グーグルアシスタント」が搭載された「グーグルホーム」などが登場したのは、ＡＩの進化のおかげである。それまで成功しなかったのは、人の話し声を形づくる「音波」を文字に落とすのが非常に難しかったからだ。

音波にはさまざまなトーンがある。ある波長を形成すると「あ」になり、別の波長を形成すると「い」になる。同じ「あ」「い」でも、方言の音波はまた違う。スマートスピーカーが２０１５年ぐらいから大量に出てきたのは、ＡＩがそうした違いをデータに正確に落とし込めるようになったからだ。

ＡＩは自然言語に変換しなければ意味をとらえられないので、スマートスピーカーはまず音声を文字に落とし、その文字の意味を理解するという二つの役割を同時にこなしている。それは単なるパターン認識ではできない。ディープラーニングがあって初めて可能となるのだ。

画像解析・音声認識と並ぶＡＩのもう一つの柱は、翻訳を中心とした自然言語処理である。

「ソファの上に犬が座っている」

この概念を、ＡＩは理解する。言葉の概念を理解するようになったのもＡＩのおかげである。これが実際に使われているのは翻訳の世界だ。グーグル翻訳を使っている人は、２０１５年以降、翻訳の精度が急激に上がったことにお気づきだろうか。

すでにお話ししたように、国連では同じドキュメントを5つの言語で公開している。それをすべてインプットし、同じフレーズを複数の言語で一対一対応するパターンマッチングで翻訳の機能を持たせていた。それがマシンラーニングの限界だった。したがって、あるフレーズを翻訳するとき、パターンマッチングから少しでも外れると意味不明の言葉にしかならなかったのだ。

ところが、ディープラーニングの進化によって、パターンマッチングではなく、概念や意味そのものが理解できるようになった。その結果、先ほどの「ソファの上に犬が座っている」という現象の意味を理解して翻訳するから、正しい言葉が選択される。

最近では「マシン語」という概念が出てきた。

マシン語は人間が使う言語にかかわらず、言葉の概念をコンピューターが理解し、それをさまざまな言語に翻訳できる、その元になるデータである。従来の翻訳では、日本語、英語、フランス語という3つの言語があった場合、すべての言語の翻訳を完成させるには日本語と英語、日本語とフランス語、そして英語とフランス語の3パターンのすべてに対応する必要がある。しかし、コンピューター語があれば日本語と英語、日本語とフランス語の翻訳をすれば、自動的に英語とフランス語の翻訳ができる。

先ほどの「ソファの上に犬が座っている」という概念も、各言語によって一つ一つ理解する必要がなくなる。概念そのものをコンピューターが理解すれば、それを各言語にダイレクトに翻訳すればいいだけの話になる。一対一対応という手間のかかるプロセスをなくし、より表現が簡単になったのは、ディープラーニングのおかげである。日本ではポケトークという翻訳機もその恩恵を受けている。

スマートホーム産業を制するのは誰だ

スマートスピーカーの話が出てきたところで、スマートホームという新しい産業について少々言及しておきたい。ヘルスケアや自動運転などと同様、近未来において有望なテクノロジー産業になることが確実視されている。

その起点となるのがスマートスピーカー、つまりＡＩを駆使した音声認識、自然言語処理のテクノロジーである。人間の発語によって窓の開閉や家電のスイッチオン・オフなどを自動で行う、あるいは、トイレやシャワー自体が家族の特徴を記憶して、一人一人が好む状態で使用できるようにしてくれるなど、まさに「賢い家」「賢い家電」という発想だ。近未来は、ほぼすべての家電がデータやＡＩを導入したものへと変わっていくだろう。

その動きの中心にいるのは、やはりアマゾンだろう。アレクサ対応の電子レンジや冷蔵庫などを開発・販売しているが、本書の冒頭でも述べたように、アマゾンは他にもさまざまな家電の開発を狙っているはずである（アマゾンの家電についてはもう一度後述する）。グーグルやアップルが追い付こうとしているが、現時点では大きく水をあけられている。グーグルはハードが弱く、アップルはＡＩで差をつけられている。

ＦＡＡＮＧ＋Ｍ以外でスマートホームに取り組もうとしているのは、中国のファーウェイ、韓国のＬＧやサムスンである。

日本では我が国の家電メーカーを代表するパナソニックに頑張ってほしいところだが、

カギを握るのがＡＩの音声認識である以上、これから自前でその技術を構築できるのかというとやや厳しいように思われる。どんなに良い家電製品をつくっても、アレクサ対応、グーグルアシスタント対応では、彼らに首根っこを押さえられたも同然である。

２０１９年10月、パナソニックが、グーグルでスマートホーム事業のＣＴＯを務めていた松岡陽子さんを自社に引き抜いたのも、その危機感の表れではないかと思う。

ＡＩの生命線とも言えるデータの蓄積に関し、グーグルやアマゾンはクラウドサービスの改善競争を繰り広げている。

音声認識のテクノロジーではグーグルが強い。グーグルはかつて音声検索サービスを提供していた。インドには方言が１００ぐらい存在するが、それにもすべて対応しながらデータを蓄積してきた。いよいよスマートスピーカーの開発に取り組むとき、その膨大な蓄積が生きた。決して未来を読んでいたわけではなく、偶然持っていたにすぎない。ただ、使えるデータの量がほかの企業と圧倒的に違ったのだ。

グーグルがデータにかけてきた情熱にはすさまじいものがある。たとえば同社は、協力が得られた世界中の図書館の本を１ページ単位でスキャンしている。傍から見れば「そんなことして何の意味があるの？」と聞きたくなるようなことを地道に蓄積してきた。グーグルとしては確証はなくても、蓄積したデータはいつか何かに使えると思っていたのかもしれない。

「世界中の情報を整理する」

これがグーグルの企業理念の一つなので、短期的かつ直接収益につながらなくても、可能性があると踏んだら何でもできるスタンスがいまに生きているというわけだ。

グーグルは、もともとビジネスで儲けようと思っていたわけではない。創業者のラリー・ペイジとセルゲイ・ブリンは、スタンフォード大学大学院博士課程の研究者で、とりあえず面白そうだから「検索」をやってみようと始めたのがきっかけだ。その後、検索広告のアドワーズという会社を買収して初めて利益を計上する。自分たちのやっているビジネスで大儲けすることより、世界を変える、もっと便利にするという思いが強かったのだろうと思う。

そんな企業が、いま、とんでもなく強くなった。

時価総額も、設立からわずか20年で60兆円という途方もない数字を成し遂げてしまった。利益を追求する一般の企業がなかなか利益を出せず、利益を追求するより世界を便利なものに変えようとするグーグルが莫大な利益を出したのは、資本主義の逆説といってもいいかもしれない。

AIが生み出すビジネスの近未来

ＡＩの自然言語処理の分野で成果を挙げているものの一つにチャットボットがある。チャットボットは「チャットする」「ロボット」の合成語だ。これまではコールセンターにかかってきた電話は人間が対応するのが常識だったが、それに代わってチャットで文字が送られてくると、その文字、内容を理解したＡＩが適切なアドバイスを返すものである。この技術がビジネスに使われ始めている。

最近では、成田空港がチャットボットを導入し、無線ＬＡＮをつなげるとチャットボットが見られるようになった。

「何か問題がありますか？」

「成田エクスプレスはどこ？」

「成田エクスプレスのホームは、○○ビルの地下何階です」

こうしたやりとりが自動的に行われる。これは人が対応しているわけではなく、チャットボットそれぞれがデータベースを持っていて、Aという質問が来たらBという答えを返すアルゴリズムが決まっているだけだ。その通りにコマンドが実行される。

チャットボットによるサービスがあるおかげで、成田空港のサポートセンターの負担は大きく下がる。人件費を中心に経費が下がるので、利益が増えるメリットに企業側が惹かれている。


チャットボットは、上野山勝也さんが起業したパークシャ・テクノロジーが有名だ。パークシャ・テクノロジーは「テキスト理解モジュール」「対話モジュール」などさまざまなテクノロジーを使い、チャットボットを製作している。

上野山さんをはじめパークシャ・テクノロジーのメンバーは、日本のAI研究を牽引する東京大学大学院の松尾豊教授の研究室の出身である。２０１２年に起業されたパークシャ・テクノロジーは、５年後の２０１７年には東証マザーズに上場している。

チャットボットのテクノロジーそのものはそれほど複雑なものではない。単に自然言語を受け取り、その内容に関連性のある言語を返すという非常にシンプルなものである。しかし、ビジネスとしては非常にインパクトがあるため、上場後の時価総額が

１０００億円を超えるという、ある意味でＡＩという言葉による急速な評価の高まりを示している。

彼らがディープラーニングのコアテクノロジーである自然言語処理を開発したわけではない。そのテクノロジーを実装してビジネス化しただけだ。もちろんそれは評価すべきことだが、日本のＡＩのテクノロジーは、アメリカが開発したモデルを輸入して、それをビジネス化する形が一般的という現状は知っておくべきだろう。

自然言語処理を使った字幕生成も進化してきたが、これは講演や講義、会議の音声などを文字化する機能であり、音声を取り込んで文字としてデータ化し、それを文字化しているすぎない。

ただ、これまで人が音声を聞いて手動で文字に落としていた字幕がＡＩによって自動化されたのは大きい。この技術によって、耳が不自由な方もコンテンツを楽しめる。

会議の議事録、イベントの講演や対談などの文字起こしは、いまだに手作業でやっている人が多いはずだ。しかし、完全な自動生成ができるようになるとテープ起こしという人間の作業が不要になる。音声データさえ流し込めばすべてＡＩがやってくれるので、コストは１００分の１ぐらいに抑えられる。過去にも自動翻訳はあったが、マシンラーニングでは自然言語処理が粗く、言語として成立しなかった。何が書いてあるか意味がわからず、結局やり直すはめに陥っていた。しかし、自然言語処理の精度が高まったため、可能になった。

これからは、音声を文字に起こしたあと、そのドキュメントを指定した人にメールで送るなど、複数の命令に対応できるようになるだろう。

あるいは、議事録を文字に起こしたうえで、あらかじめインプットしておいた計画と照らし合わせ、次に行うべきアクションを指示し、その業務を遂行するうえで関連する部署や担当者を明示し、その連絡先まで教えてくれるようになるかもしれない。

自然言語処理がさらに進めば、ＡＩが本の構成もできるようになるだろう。

通常の紙の本であれば、読者がどの部分にどのように反応しているかは、直接読者から聞き出さなければわからない。しかし電子書籍であれば、ハイライト機能でチェックされたデータを集計すれば、読んだ人々がどこを面白がっているのかが一目瞭然だ。しかも、年代や性別などの属性別に受け入れられている場所もデータとしてわかる。

これまでは、編集者の経験と勘に頼っていた構成が、読者の反応や関心の最大公約数に構成できる。さらに進めば、読む人によって構成が変わるスタイルもできるかもしれない。

その人が読書をしている間、同時にカメラで表情を認識しておけば、どの場面で笑ったか、泣いたか、驚いたかがわかり、それをすぐにフィードバックすることもできる。表情に出なければ、感情を読み取るAIで読み込める。いわゆるABテストのような形で、たとえばBよりもAの構成のほうが反応が大きかった点がフィードバックされれば、Aを押し出していく方針も決まる。これもディープラーニングの一つだが、ここまでできるようになるのは、おそらく数十年先になるだろう。

本をつくる編集者や、テレビ番組をつくるディレクターを志す人たちは、このようなテクノロジーを武器として活用しながら、いまとは別の形でクリエイティビティの力を出していくしかない。

レンタルビデオ店だったネットフリックス

ここで言及したいのが、自前のコンテンツによって急成長を遂げている動画配信サービス会社のネットフリックスである。突如として誕生した「巨大メディアの帝王」のように見えるが、実は昔から存在した老舗企業だ。

ネットフリックスは、高校の数学教師だったリード・ヘイスティングスらが1997年に創業したレンタルビデオ店だった。業界の草分けであるブロックバスターの誕生が1985年だから、それから12年後に誕生した後発企業である。当時の媒体の中心はDVDだが、ヘイスティングスはその時代が続くとは考えていなかった。必ずインターネットで映像を楽しむ時代がやって来ると見越していたのだ。

2007年に媒体がDVDからブルーレイに移行するかしないかのときに、ブロードバンドが一般化したこともあって、同社はデータ配信に舵を切った。その際、顧客が映像をどこから再生し、どこをスキップし、どこを繰り返し見ているかというデータを取れば、個別に作品をリコメンドすることができると考えた。さらに、そのデータを利用してネットフリックス自体が作品をつくれば、顧客好みの映像を製作することが可能になる。そこまで先を読んで業態を変更したのである。

実際、データと知見が蓄積され、ネットフリックスオリジナル番組が登場した。そのインパクトは大きく、ストリーミングを配信する会社が製作した作品が、優れたドラマに与えられるエミー賞を受賞する。認知度は上がり、新しい会員が増えて資金が潤沢になるとともにさらに製作に資金を注ぐことができる。売り上げを伸ばすための仕組みが強固に構築され、急激に成長して現在の地位を築いた。現在のネットフリックスが番組をつくる総製作費は1兆円以上と言われている。

ネットフリックスが行っているように、視聴者がどの場面を繰り返し再生してどこをスキップしているかも、データとして収集、分析できるようになった。そのフィードバックや評価に基づいてディレクターが作品をつくり直せば、視聴者の反響を呼ぶ映画やドラマに仕立てられる。原案のシナリオはまだ人間が考えているが、いずれはそれも将来はＡＩに取って代わられるだろう。

年齢、性別、好みなどの評価を含んだデータさえ取れれば、あとは振りわけていけばいいだけだ。クラウドコンピューティングによって、何万通りというシナリオを同時配信することも可能になる。これまでのテレビとは質が違ってくる。

実は映画やドラマなどのキャッチコピーは、すでにその世界に踏み込んでいる。ネットフリックスの映画に、仮にこんなキャッチコピーがあったとする。

「差し迫る恐怖。２０５０年、東京」

このキャッチコピーは、50代の男性の反応が高かったとする。しかし、20代男性に同じキャッチコピーが通用するとは限らない。

「２０５０年、あなたが50歳になったときの現実の世界はこうなっている」

このキャッチコピーのほうが受け入れられるとなれば、20代男性に提示されるのはこちらのほうに変わる。このように、人に合わせたキャッチコピーをＡＩが勝手に提示してくれる世界はすでに現実になっている。ネットフリックスのサイトに入ると、映画をクリックする前からキャッチコピーが並んでいて、デバイスの前にいる人に最適化されるのだ。インターネットのパーソナライズド広告のように、最適化された配信が普通になっていく。


編集者やディレクターは、これまでの勘と経験に頼っていた意思決定を、データの裏づけをもとに意思決定する形に変わっていくだろう。むしろ、ＡＩの進化は単なる勘と経験が通用しない世界に変化させ、まったく別の形のクリエイティビティが求められるようになる。それは、直感とデータに基づくハイブリッドのクリエイティビティだと思う。

広告や役所を徹底的に効率化する

　ここまでアメリカや中国のＡＩ事情を中心に述べてきたが、では、日本ではまったくＡＩ化が進んでいないのかというとそんなことはない。

　たとえば、画像解析分野では、ＮＥＣやパナソニックなどが取り組み始めた「顔認証システム」が目を引く。オフィスビルなどにコンビニエンスストアやドラッグストアの店舗が入っているケースで、そこで買い物をする社員たちの社員番号を顔認証で識別し、決済を給与口座で済ませられるという仕組みである。

　もちろん、たとえば双子の社員がいた場合には、本人ではないきょうだいと間違えることもある。それに目くじらを立てていてはテクノロジーの精度が上がらないので、間違えたときは謝って返金すればいい。使用金額の上限を設定しておけば、間違えても精神的な負担は少ない。間違えるリスクよりも、利便性の高さを優先すべきだ。間違った際に人に危害が及ぶのであれば慎重にならざるを得ないが、そうした深刻な被害がない限り、軽やかに実験を進めるべきだと私は考えている。この分野は、日本よりアメリカの方が遅れている。ただ、顔認証システムというところでは、中国のほうが断然進んでいる。その理由は、前述の通りプライバシーに対する考え方の違いである。

「A地域・○月△日15時から16時の間・40代男性・紫色のマフラー着用」

これがある事件の犯人像だとしたら、中国であればたちどころに絞り込まれる。日本やほかの国のように、捜査員が現場に出向き、近くの防犯カメラの設置状況を確認し、監視カメラを管理する人物や企業に映像の提出を求め、それを肉眼で確認しながら犯人を絞り込むという、恐ろしく手間のかかる手続きを踏む必要はない。

その結果、こんな世界が実現する。

駅のコンコースの壁に表示されている広告がある。当然のことながら、そこを通る人の年齢、性別、職業などはバラバラだ。現在は、歩いている人の属性にかかわらず、表示されている広告は同じものである。あらゆる属性が関心を持つ商品はほとんどなく、したがってすべての人が同じ広告を見ることもない。つまり広告の効果としては非効率だ。

しかし、年齢、性別、職業のデータさえ蓄積されていれば、目の前を歩いている人が男性か女性か、20代なのか30代なのか40代なのかだけでもわかれば、年代や性別によって表示する広告を即座に変えることも可能になり、ミスマッチを解消できる。

この技術を自治体などが使えば、市役所や区役所などに来た住民に対し、年代や性別の違いによって必要なサービスを提案したり、手続きをする窓口に誘導することもできる。30代女性と70代男性を識別できれば、出生届の手続きをする確率は、前者が高く後者が低い。年金の支給手続きをする確率は、前者が低く後者が高い。もちろん100％の確率はあり得ない。しかし、80％以上の確率で判断できれば、それを振りわけることは、すべてのオペレーションの効率化につながる。少なくとも全員が列に並んで待つ必要はなくなる。


キユーピーのベビーフード製造工場では、ラインにＡＩが組み込まれている。製造工程のうち、カットした野菜がベルトコンベアで流れてくる工程があるが、ごくたまに形がいびつなものが混じっている。これまでは、ベルトコンベアを流れる野菜の中から不良品を取り除く作業は人の手で行っていた。

ＡＩ導入後は、画像解析で不良品を検知するとロボットの手で取り除く。

キユーピーのような伝統ある企業でも、あらゆる業務にＡＩを活用していかなければば競争に打ち勝つことができなくなっていく。いずれ、ほぼすべての企業はＡＩを使いこなし、データを集約してビジネスに生かしていかなければ競争に生き残れなくなる。そのためには、どのような企業にも「チーフ・テクノロジー・オフィサー（ＣＴＯ）」が常駐するだろう。

自社にとって、どのようなデータをどのような部分に使えば成長できるのか。そんなアイデアを持っている人が社内にいないと、せっかく思いついた優れたアイデアを殺してしまう。自社の力で実現できなくても、アイデアさえあれば外注できる。ＡＩを担う業者は数多くいるので、何をやりたいのか、何をやるべきなのか、それがＡＩでできるのか、常にそれを意識しておけば、蚊帳の外に置かれることはない。

ＡＩによって実現が期待される５〜６年先の未来

２０１９年から２０２０年にかけて、次世代の移動通信システム５Ｇが本格化する。第４章で詳述するが、ここではＡＩと関連する部分について簡単に触れておきたい。

いまよりもさらに大量のデータがクラウドとつながる。そうなると、机や椅子、ホワイトボードなど、いままではデータとして考えてもみなかったモノや機器から、データが集まるようになるだろう。同時に、データを蓄積するサーバーの容量が現在の10倍以上になるのは間違いない。その中に、続々と大量のデータが蓄えられていく。世界中から集められるデータはそのような大規模の容量になってくる。

これまでの4Gでは、満足な速度で動画が再生できなかった。5Gによって異次元の速さに進化すれば、これまで動画を敬遠していた人々や世代が動画をアップロードするようになったり、一定の量で動画配信を止めていた人々がさらに数多くの動画をアップロードするようになるだろう。コンテンツの内容のレベルが上がり、相乗効果でさらに動画に関心を持つ人が増え、動画の量が急激に増えていく。

そうなると、これまでとは比較にならないほどのデータが蓄積される。かつては取れなかったデータが集まり、それを使いこなせるようになっていくことで、まったく新しいサービスが生まれるかもしれない。

監視カメラの映像は、リアルタイムのままクラウドに蓄積されていく。現在もウェブカメラはあるが、その設置コストよりも10分の1から100分の1の安いコストで実現できるようになる。すると、街中に設置される監視カメラの量が格段に増え、あらゆる場所のさまざまな状態が、リアルタイムで知られるようになる。

そのステージまでいくと、性別や年代などの「大まかな」データではなく、ある人物を正確に特定できるほどのデータが手に入る。ある人物がある店舗に来店したのが、今月になって何度目かが特定され、どの棚を中心に見ているかも特定される。すると、その人が好む商品の傾向がわかるので、店舗側はリコメンドする商品を絞り込むことができる。プライバシーの問題がクリアされれば、間違いなく、個々人に対するサービスの質は向上するだろう。

基本的に、扱えるデータの量が増えるということは、いままでは取れなかった細かいデータまで取れるようになるということだ。それによって画像解析の精度が上がり、自然言語処理の精度も飛躍的に上がる。ＡＩ、５Ｇ、クラウドのトライアングルの力が増強する結果、できなかったことができるようになる。

たとえば、タクシーの後部座席に座った乗客の性別と年代を認識できるレベルから、性別はもちろん、年齢も50代という幅広い絞り込みではなく、52歳と特定することも可能になる。さらに、蓄積された個人データが豊富にあれば、同一人物であると特定できるかもしれない。画像認識の分野でも、精度が上がるとそこまでのレベルに上がる。

画像の画素数は、初期の携帯電話と現在のスマホを比較すると、おそらく100倍、1000倍以上の差がある。これからさらに解像度が上がり、それがデータとして蓄積されれば、できることが大きく変わる。

ある人が青い色の服を着ていたとする。その人が月に20日ぐらい青色の服を着ていることがわかれば、青色系が好きな人だと分析できる。正確に服の色を特定することができるようになるのも、5Gによるところが大きい。

また、画素数が低かった時代は、遠目の人物の着ている服が丸首のTシャツなのか襟の付いたポロシャツなのかを、正確に判別することは難しかった。しかし、画素数が上がれば服の形状まで正確にわかる。その結果、その人の服の好みを理解する精度が上がり、よりリコメンデーションの精度が上がっていく。街中のファッションの流行をより精緻に計測することもできる。

つまり、画素数が上がることで、AIが認識するものの質と量が高まり、リコメンデーションの精度がこれまでに比べて格段に上がる。したがって、顧客の心理に直接働きかけることになり、より高い確率での購買につながっていく。

さらに言えば、画素数が上がると、eコマースのあり方も変わってしまう。

ある時期、ZOZOTOWNが顧客の正確なサイズを測るため、採寸用の衣服であるゾゾスーツを身につけるように顧客に求めていた。ゾゾスーツが普及しなかったのは、脱ぎ着が面倒で顧客に不評だったからだ。

しかし、これだけ画素数が上がり、データとして写真の解像度が上がれば、写真を撮るだけでその人の身体のサイズもわかるようになる。服によっては着痩せして見えるケースや太って見えるケースもあるので、そのデータが蓄積されていれば、身体のサイズと服のサイズに補正がかかってフィットするようなサイズまで表示される。そこまでくると、人間がサイズを測る必要はなくなる。世界はいま、その方向にシフトしている。

すべてのデータを狙うアマゾンの野望

やがて、日常生活のあらゆる情報を画像として提供することで、AIによるデータ分析の力は格段に向上し、個人に対するサービスが際限なく拡大していく可能性がある。

その最たる象徴が、本書の冒頭でお話しした「アマゾンの家電」だろう。

繰り返しになるが、アマゾンは2020年ごろの発売を目指して冷蔵庫を開発中で、しかも、冷蔵庫の中にカメラを入れる特許も取得している。これが意味するものは何か。

「カメラ付き冷蔵庫モニター」のようなものを設置した冷蔵庫ができれば、モニターが常に360度監視し、あらゆる食材のデータを取っていく。画素数が上がれば冷蔵庫の隅々の食材が何かを正確に特定できるので、ヌケ、モレがなくなり、食材の販売チャンスを逸することがなくなる。冷蔵庫の中にカメラを入れて、スマホなどから常時中身を確認できるという機器はすでに一部のスタートアップ企業が開発している。だがアマゾンの狙いはもっと別のところにあるはずだ。

アマゾンは、冷蔵庫を広告デバイスの一種と考え、安価または無料で配布するのではないだろうか。

すでにお話ししたように、アマゾンはあらゆるビジネス機会を持っているため、必ずしも冷蔵庫の「販売」で儲ける必要がない。アマゾンプライムなど、収益の柱をしっかり保持していれば、極端な話、ハードは無料でもよいのだ。アマゾンが欲しいのはデータである。データを集めるためのデバイスは、無料でも構わないはずだ。

そうなると、家電メーカーは冷蔵庫部門でアマゾンに勝てなくなる。何らかの手を講じないと、冷蔵庫を製造して利益をのせて販売するビジネスモデルは崩壊する。路線変更ができない旧態依然とした家電メーカーは、倒産に追い込まれることになるだろう。

前述したように、アマゾンがベッドをつくる可能性もあり得なくはない。横になった回数、寝返りを打った回数、寝る位置、寝る態勢など、睡眠中のすべてのデータを集めることができる。電子レンジも同様だ。何を温めているかがわかれば、その人のアマゾンのページには、温めた商品に関連する広告が表示されるようになるだろう。つまり、すべての家具や家電はアマゾンのターゲットになる可能性があるのだ。

生活が丸裸にされる点では恐ろしい時代だが、逆に言うと丸裸にされるようなデータをＡＩで解析すれば、生活のすべての局面で「おもてなし化」ができる。本当の意味でその人に合わせたものをリコメンドすることが可能となるので顧客満足度は高まり、さらに個人のニーズや気分なども満たされる。質の高いサービスを受けることができれば、データを提供することに対するハードルも下がるのではないか。

そもそも「おもてなし」は日本の得意分野だったはずだ。お客様を満足させるサービスという意味では、現在も日本は世界に誇るサービス大国である。ところが、データ・テクノロジーが絡んだとたんに日本は弱くなってしまう。このままではアメリカや中国に大きく水をあけられてしまう――そんな状態に日本は置かれている。

ハードウェア、ソフトウェア、サービスのうち、顧客との接点や利益率（マージン）がもっとも高いのはサービスである。日本は一刻も早くデータ・テクノロジーの重要性に気づき、もっと本格的にデータ・テクノロジーと取り組むべきだと思う。

グーグルやアマゾンは、冷蔵庫や電子レンジなど家という空間にあるものがデータ化されることで、リコメンデーションできるものが増える機会を虎視眈々と狙っている。

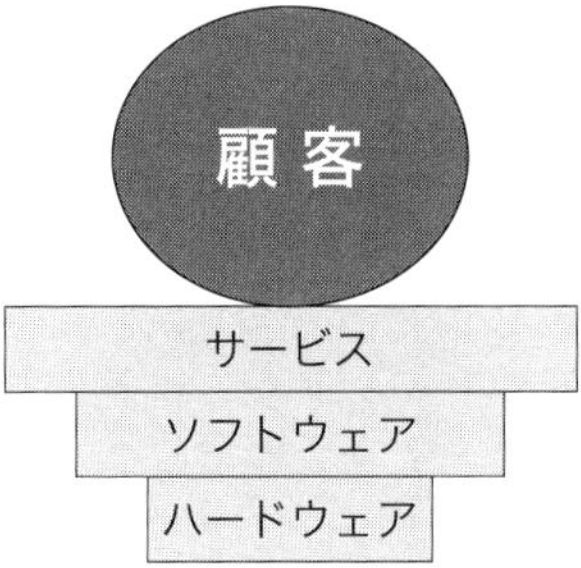

顧客
サービス
ソフトウェア
ハードウェア

顧客との接点や利益率がもっとも高いのはサービス

服にセンサーが付いていれば、どの服をどのような頻度で着たか、どの服をどのような天候の日に着たかがわかり、あらゆるシチュエーションごとのリコメンデーションが提供されるようになる。アマゾンやグーグルを開くと、そこに出てくるのは限りなくカスタマイズされた広告だけになる。誰一人として同じページを見ることができなくなるかもしれない。

先ほどのアマゾンの事例は、いわば「空間のデータ化」ということである。

　空間という意味では、自動運転車に関するビジネスチャンスは数多くある。自動運転のテクノロジーばかりが取り沙汰されるが、それだけではない。

　その一つが車内環境である。自動車の車内は、データの宝庫だ。ドライバーは運転中に何を聞いているか、どのような内装をほどこしているか、停車中に何をやっているか、同乗者に誰を乗せているか、同乗者は走行中に何をやっているかなど、ビジネスにつながるデータが山ほどある。

　時計、黒板、靴。これらもすべてデータだ。データ化する作業をしていないだけで、データ化はできる。

　靴に関しては、すでにグーグルが踏み込んでいる。狙いは「転倒検知」である。たとえば高齢者が足もとをよろめかせているような状態を靴が感知、その人の健康状態が詳細にわかる仕組みだ。そして必要なヘルスケアに関する医療通知が家族に送られる。

　日本のある会社と私が新規事業について話をしていて、靴を使った転倒検知事業を進める方向で話がまとまった翌日、グーグルが同じことをやっているニュースが流れてきた。さすがグーグル。ありとあらゆるところに手が伸びてくる。発想自体よりも実行するスピードの価値が上がっていることを改めて認識した。

必ずやってくる自動運転の時代

話を戻すとAIに言及するときに、自動運転については避けて通れない。

2019年11月、イーロン・マスク率いるテスラは、電動ピックアップトラック、その名も「サイバートラック」を発表した。その斬新なフォルムに驚いた方も多いだろう。

発表からわずか3日で20万台もの予約が入ったという。

「客の望む」製品ではなく、「客が予想もしなかった」圧倒的な製品を出してくる——これはプロダクト・マネジメントでは最強の手法だ。イーロン・マスクは間違いなく次世代のスティーブ・ジョブズになると確信した。

テスラが発表したサイバートラック
（Tesla／ZUMA Press／アフロ）

２０１９年、そのテスラから、部分自動運転対応の車が登場し始めている。信号などもすべてカメラが感知し、右左折もすべて自動化され、市街地でも手放しで運転できる。日本の自動車メーカーも、遅れること数年、２０２２年ぐらいには同水準の車をリリースすることになるだろう。しかし、その頃にはテスラは先行するソフトウェア開発技術に加え、販売した数百万台分の走行データによって、さらに先へ行っている可能性が高い。

私も２０１８年からアメリカでテスラの車に乗っているが、危険を感じたことはない。むしろ、人間の目で見るよりも確実だ。人間が危険に気づくより、センサーのほうが確実で早い。車線変更をする際には、私はミラーを見ずにセンサーに頼っている。

車の周囲に8個のカメラやセンサーが付いていて、常時監視している。どこにどのような車がどのような状態で走行しているのかまですべて見えていて、映像で表示される。運転者はそのモニターを見て判断するわけではなく、ただ確認するだけだ。

高速道路の走行車線を走っているとき、前を走る車を追い越そうとウィンカーを出した時点で、車線変更するための情報をＡＩが集約する。どのようなタイミングで右側の追い越し車線に車線変更すればよいのかを考えてくれる。ＡＩが安全だと判断したら、自動的にハンドルが操作され、車線を変更する。

このとき、人間の目とミラーだけでは死角が生まれるが、センサーに死角はない。追い越し車線を走る車も常時センサーが感応し続けているので、AIはそのデータを使って適切なタイミングを計算し、車を進入させる。車間が十分ではなくても、速度を落として譲ってくれそうな車もAIは判断できる。ある一定時間、車の間隔が狭まらなければ、入り込むスペースがあると認識し、ハンドルを切る。


自動運転のテクノロジーでもっとも目立つのはテスラだが、まだ注目すべき企業はある。

2013年、掃除ロボットのルンバで知られるアイロボットでインターンをしていたカイル・フォークトという人物が自動運転関連ベンチャーの「クルーズ」を創業した。3年後の2016年、巨大自動車メーカーのGMが、売り上げゼロだったそのクルーズをいきなり買収し、28歳だったフォークトを最年少シニアディレクターに迎えた。買収額は約630億円と言われている。こうして誕生したGMクルーズは、いまカリフォルニアで数百台規模の自動運転車による実験を行っている。ちなみに、20

18年にはホンダがGMクルーズに対して総額3100億円もの巨額投資を行っていくと発表した。GMもホンダも自動運転に巨費を投じなければ明日がないことをよくわかっている。だからこそ必死になっているのだ。

ハードではなく、自動運転のソフトウェアというコアに特化して主導権を握ろうとしているのがオーロライノベーションだ。テスラやグーグルの自動運転の専門家たちが独立してつくった野心的な企業である。これに加え、グーグル（アルファベット）傘下の自動運転開発会社ウェイモあたりが次代の自動運転テクノロジーの覇者になると私は考えている。

近い将来、人間が乗って運転する必要はなくなるはずだ。

いまは、センサーが行っている処理を運転席に人が座って許可する形になっているが、いずれそれもなくなる。むしろ「人が運転する車なんか危なっかしくて乗ってられないよ」という風潮さえ生じるかもしれない。

車を所有する人は、助手席か後部座席に乗ってくつろいで到着を待つ。そのようなタイプの車が、近未来にはプロトタイプとして登場し、その頃には無人のロボットタクシー、ロボットバスが街中を走っていることだろう。

人間が運転するタクシーの運賃は、東京地区の初乗りで410円かかる。運賃の約7割はドライバーなどの人件費である。残りの3割が車体のコストや燃料費なので、無人ロボットタクシーの登場でタクシー料金が半額以下に設定できるのは明らかだ。

いま、タクシーに対抗するモビリティはウーバーだが、無人ロボットタクシーはウーバーよりはるかに安くなるので、タクシー業界に劇的な変化が起こるだろう。

AIによってタクシーだけでなくバス、トラックなどすべてのモビリティが最適化されるのは、2020年代前半に実現しても不思議ではない。

自動車もタクシーもバスもトラックもすべて無人で自動運転になると、物理的にある一地点に車が集中する場合は渋滞が起こるが、基本的には渋滞しにくくなる。すべての車がグーグルマップとデータが紐づいていて、あらゆる道路の混雑状況をAIが共有するので、この時間帯にこの道路に行くのはやめようと、勝手に車が判断して迂回してくれる。すべての車を最適な経路で配分できるはずだ。

事故は、センサーが物体を事前に感知して止まるために、基本的には起こらない。

ただ、想定外のことが起こるのは仕方がない。事故が起こった場合に、賠償責任は車の所有者になるだろう。無人の場合でも所有者や運営者がいるはずなので、該当者が負担する。ただ、そのリスクを負いたくない企業や個人も必ずいるはずなので、新たな形の賠償責任保険やまったく異なる概念の保険のようなものが生まれるかもしれない。免許もマニュアル、オートマチックと段階があるように、自動運転専用のタイプも出てくるだろう。

車同士の事故、器物破損などであれば、損害賠償を保険金で済ませればいい。問題は人が怪我をしたり、亡くなってしまったりする対人補償のケースである。自動運転は、テクノロジーの問題よりも、倫理的な問題をどう解決するかのほうが議論がわかれる。それがテクノロジーの発展の足かせになっている。とはいえ、それを放置したままでは先に進めない。

中国があらゆるテクノロジーで長足の進歩を遂げているのは、倫理的な問題には縛られにくいからという側面もある。

AIは怖いものか、便利なものか

もちろん、ＡＩの進化は歓迎されるばかりとは限らない。

スマートデバイスが家中のいたるところにある、それはつまり、冷蔵庫の中身からベッドでの状態や本棚に並ぶものまで、すべてが記録される状態に置かれるということでもある。部屋の空間すべてが音声、画像、動画などのデータに変換され、知らないうちにクラウドに送られてしまうのではないかと恐怖に駆られる人もいる。そのため、基本的には消費者が自らコマンドを発信しなければ、録音や録画がスタートしないようなルールが厳格に定められている。

２０１８年、アメリカでアマゾンエコーを使っていたユーザーの会話が、別のユーザーである知人に送られてしまうという事件があった。アマゾン側は、アマゾンエコーが自らを起動させる「アレクサ」と似たようなユーザーの言葉に反応してしまい、コマンドを誤認識して相手にメッセージを送信する命令を実行したために起こった事態だと説明した。

これは、テクノロジーの黎明期によくあるバグだが、とはいえ家族の会話の一部始終が知人に送られてしまうのは気持ちのいいものではない。これでアマゾンはたいへんな批判にさらされた。そうした経験から、秘密裏に画像・動画・音声を録音・録画する行為は、いまのところ抑制されている。実際に手を出してしまうと、釈明の余地はなくなるからだ。

ただ、最新のアマゾンエコーショーというカメラ付きのスマートスピーカーは、モーションセンサーによってコマンドを送ることができる。家に人やペットがいるときは、動きに反応して撮影される。勝手に録画しない状態にもできるが、その操作を忘れ、カメラの前を歩いて動画撮影が始まってしまう可能性もゼロではない。

だから、怖い。ただ、怖くても怖い以上の便利さが感じられた場合、人はどちらを選択するだろうか。おそらく、便利さが勝れば怖さを超えていくのではないだろうか。

多くの人が使うグーグルのＧメールサービスも、自分が関連する広告が入ってくることがある。Ｇメールにも自然言語処理ができるＡＩが搭載されているため、この人は旅行に関するメールが多いと判断されれば、旅行に関する広告が送られる。

自分のメールの中身を分析されているのだから、それを気味が悪いと感じる人がいても不思議ではない。ただ、これだけ大容量のメールサービスを無料で使い放題、かつ送受信も速く、スマホでもパソコンでも使えるとなると、多少気持ちが悪くても有料のメールサービスを使うよりはいいと考える人もいる。はたして、どちらを選択するか。テクノロジーの恩恵を享受するか否かの選択でもある。

ネットフリックスのプログラムに『ブラック・ミラー』という短編ドラマがある。日本のテレビ番組『世にも奇妙な物語』のイギリスバージョンのようなものだ。あるエピソードでは次のような内容が描かれていた。

「警察が事件の犯人を捜しているとき、実はあるAI企業の社長のほうが、警察よりも先に犯人を知っていた。それはAIによってあらゆるデータを分析した結果、その犯人を指し示していたからだ」

そのAI企業は、フェイスブックをもじったと思われる企業名だった。これは単なる言葉遊びではなく、未来を暗示する狙いがあったに違いない。たとえば、画期的なアイデアをメールでやり取りしてしまったために、そのアイデアが抜き取られ、先を越されてしまう。これから先、そんな事件が起こっても不思議ではない。だからこそ、データを扱う側には倫理観と自制心が必要になってくる。

AIはどこまで進化するのか

人工知能、とくにディープラーニングが進化した要因としては、クラウドコンピューティングによるデータの貯蔵コストが下がった点が大きい。

これまでは、スーパーコンピューターでなければできなかったため、大学や企業の研究所のサーバーを借りなければ何もできなかった。それが格安なコストでクラウドサーバーを使えるようになったので、データを放り込んでトリミング（加工）ができるようになった。取得したデータは手元にあったが、データの扱い方が変わったのが最大の要因だろう。

いまでも、ＡＩをダウンロードして手元で使えるようになっているが、これからはその精度が格段に上がっていくだろう。今後5年というスパンで考えると、ＡＩに代わる何かが登場するという方向ではなく、いまのＡＩがよりパワフルになってできることが増えていく事態が予想される。

最終的には、人間の精神をデータ化する世界もやって来る。つまり、人間の感情を可能なかぎりデータ化する技術が登場するということだ。

すでに、人間の表情を画像認識するＡＩはあるが、やがては人間の表情から意思や潜在意識を読むＡＩが登場するだろう。２０１９年7月、イーロン・マスクが関わるニューラリンクは、脳とコンピューターを直接結ぶシステムの臨床試験の許可を申請したと発表した。マスク氏は、このシステムを使うことでＡＩと共存できると言っている。

表情を隠しても、嫌がっている感情はわかってしまう。

キーボードの「Ｋ」を打ちたいと念じれば、電気信号を感知したＡＩが「Ｋ」を打ちたいと学習し、その信号が出たときにはディスプレイに「Ｋ」と表示する。

一方で、人間は自堕落なことも考える。誰かを殴りたい、仕事をさぼりたいなど、決して人には知られたくない感情がＡＩに読み取られてしまう。

安全面でのリスクに対しては、さまざまなところにフェイルセーフ機能、予防線を張って常に安全な状態にしておくなどの措置が必要になるだろう。それでも可能性があるのは人権侵害だ。しかし、先進国がそこで躊躇している間に、徹底的にやる中国などに先を越されてしまう可能性が高い。

好むと好まざるとにかかわらず、中国がＡＩの巨大な実験場になるかもしれない。

科学者にとっては、データが豊富にあり、かつ西側諸国では手に入らないプライバシーを考慮しないデータも大量にある中国は、魅力的な国である。

中国はいま、東京大学をはじめ、テクノロジーを研究している優秀な研究者の一部を日本の給料の倍以上で雇っているという。日本で定年を迎えた老教授が倍の報酬を提示され、研究環境だけでなく生活も厚遇されれば、断る理由はない。そうなると、本当に開発すべきテクノロジーなのか議論を煮詰めないまま、ただの技術開発競争に陥る可能性は否定できない。

恐ろしい趨勢だが、現実のものとなる可能性はある。

それでも、テクノロジーは前に進めるべきだ。倫理はもちろん大事だが、あとで考えればいいこともある。それよりも追いつけなくなったときのほうが致命傷になる。反対意見もあるだろうが、私はその立場をとる。

東京圏の都市人口は、現状では世界最大の3800万人である。これだけの人が生活をしている場所には、世界最大級のデータが発生すると考えていい。

繰り返すが、AIのインパクトは、良質のアルゴリズムとデータ量の掛け算で決まる。その点で見れば、東京圏のデータ量は世界でも最高水準にある。本気でAIのアルゴリズム開発に取り組めば、世界のAIテクノロジーをリードする存在になり、日本のAIビジネスが再生する可能性は十二分にあると考える。

それが本書で私がもっとも言いたいことだ。

第4章

5G・クラウド・ブロックチェーン

近未来を創るメガテクノロジー②

5G――データの高速化・大容量を実現する

5Gの三つの進化と最先端テクノロジー

5Gの特徴は「高速・大容量」「低遅延」「同時接続」の3点が挙げられる。まずは高速・大容量だ。2020年代のトラフィック（送受信量）は、2010年代の1000倍に達すると予測されている。5Gにはそれに耐えうる大容量化が求められていて、現在の1ギガビット／秒から10ギガビット／秒への進化が前提となる。高速・大容量になることで短期的に変わるものの代表格が、繰り返しになるが、動画だ。

動画は、データの容量が非常に大きい。現在、インターネットで流れているデータの3割が動画サービスのネットフリックスによるものだという。たった1社の有料サービスが、インターネットの通信の3割を占める状況は異例だろう。これが5Gになることで、ユーザーにとっても、ネットフリックスにとっても喜ばしい状況になる。ネットフリックスほどではないにしても、ユーチューブ、アマゾンプライムビデオ、スポーツ中継のＤＡＺＮなども同じような恩恵を受ける。こうした動画がストレスのない形で楽しめるようになれば、ユーザー数はさらに増えるからだ。

ディズニーが動画配信サービス大手のフールーを買収したのは、コンテンツメーカーが動画の配信手段を確保するための動きだろう。反対に、ＮＴＴドコモがディズニーと提携したのは、動画のコンテンツをいち早く囲い込もうとする狙いがある。いわゆる携帯キャリア各社は、ほとんどサービスの差がなくなってきている。どのようにして差別化を図るかといえば、コンテンツで勝負するしかない。５Ｇによって容量と速度が進化すれば、その動きはさらに加速する。

おそらく、この流れによってもっとも割を食うのはテレビである。テレビ番組は台風や地震など、リアルタイムで見るべき緊急性の高いものぐらいにしか価値がなくなっていくだろう。ドラマをはじめエンターテインメントのコンテンツは、資金力の差によってネットフリックスを始めとする独自コンテンツに凌駕される可能性が極めて高い。

総製作費１兆円以上という資金力と、エミー賞受賞というレベルの高いコンテンツ制作能力。それはつまり、有料動画が一般のテレビ番組の質を超えつつあるということだ。もはや、そこに優劣の差はない。これまでは、映画＞テレビ＞ラジオという序列が明確だった。出演するタレントにも、その序列はあった。有料動画はさらにその下で、インターネットのユーチューブは、そのまた下に位置づけられていた。しかし、その垣根もなくなる。どの媒体、どの番組でも、良いものは良いと評価される時代になり、5Gで下克上が加速する。

5Gの第二の特徴は低遅延である。これまでは、100のデータを送るときに10ミリ/秒かかっていた。5Gによってそれが1ミリ/秒以下になる。タイムラグが10分の1になると、動画の印象は従来のものとはまったく変わる。

低遅延が実現できるのは、周波数を高く設定できるからだ。一般的に、周波数が高ければ高いほど電波は直進し、一度に伝送できる情報量も大きくなる。さらに、処理する半導体の性能が格段に上がっている点も挙げられる。

5Gによって低遅延が実現すると、スマートファクトリーの精度も上がる。

さまざまな工場でロボットアームが動いているが、画像認識の処理やコマンドの実行がスムーズに行われることで、ロボットの判断の速度が格段に上がる。自動車やドローンなど遠くにある機器を通信を介して遠隔操作するケースでも格段に反応が変わる。これまでの無線ＬＡＮでもできるという意見もあるが、きわめて高速な処理は現行の無線ＬＡＮでは不可能だ。

テレビ電話も、こちらが話したことが相手に伝わるまでの間のラグは、一般的に０・２秒から０・３秒程度。これも認識できない程度に格段に速くなる。

低遅延が実現したときの試みとしては、『ポケモンＧＯ』をつくっているナイアンティックがユニークだ。同社は、スマホをかざすだけでできるシューティングゲームを開発している。カメラを向けるだけで自動的にその空間を把握、自分がどの位置にいるかを確認し、ジャイロセンサーによってどの方向を向いているかがわかる。敵のスマホがその方向にいれば、ボタンを押して攻撃ができる。これは『プロジェクトネオン』というゲームだが、５Ｇでなければここまではできない。

直線状に相手をとらえたとしても、０・３秒のラグがあれば逃げてしまう。遅延が限りなく少なく、素早いレスポンスがあってはじめて成立するゲームでは５Ｇが不可欠となる。

５Ｇ第三の特徴は同時接続だ。

低遅延が実現することでこのようなゲームができる素地が整っても、多くの人が参加するほど面白くなる対戦型タイプのゲームでは、同時接続が必須になってくる。現在の4Gでは、一つのアンテナに対して300人から400人が集まって対戦すれば、おそらくつながらなくなる。だが、5Gになると100倍の同時接続が可能となるので、理論的には無限の人数で遊べる。野外コンサートやお祭りなどのように、人が集中する環境でのスマホはつながりにくくなるが、その不便さも5Gによって大幅に改善するだろう。

同時接続は、もちろんスマートファクトリー化を進める工場にも恩恵をもたらす。具体的には「工場のデータ化」が進む。5Gのチップを使うことによって、これまで接続できなかった機器からもデータが取れるようになるからだ。工場の中に100万個のセンサーを設置し、すべてのセンサーのデータを同時に取ろうとしても、これまでの無線LANではできなかった。アナログの部分の情報をデジタル化し、分析すれば「製造ラインのどこが故障しているか」「どのプロセスのデータが止まっているか」「ラインのこの部分が止まるとどこが影響を受けるのか」などといった点が瞬時にわかるようになる。

一時期ＩｏＴという言葉が脚光を浴びたが、これまで語られてきたのはあくまでも概念で、本当の意味でのＩｏＴを実現し、同時進行中のあらゆる情報をデータ化することでオペレーションを改善するには、同時接続で容量が大きく、低遅延の５Ｇ時代にならなければ不可能だったのである。

だからこそモノとモノがつながり、連携がよりスムーズになる。工場のラインは複数の工程で成り立っているが、通常はＡからＢを経てＣに進む場合、Ａの工程の動きを受けてＢが動き、それを受けてＣが仕事をする。この連携がよりスムーズになれば、それぞれの工程の質を上げることができる。歩留まり率は上がり、工場の生産性は上がる。

5Gによって変わる近未来の世界

高速・大容量が実現すれば、計算上は２時間の映画が５秒ほどでダウンロードできるようになる。

この機能を使えば、飛行機に乗る前に地上で提供されるエンターテインメントコンテンツの中から好きな映画やゲームをダウンロードし、機内に持ち込むことができる。機内で提供されているエンターテインメントに好みのものがない場合、長時間のフライトは退屈を極める。自分オリジナルのコンテンツのラインナップを持ち込むことができ、専用のデバイスで見られるようになれば、そうした事態には陥らずに済む。

一見、地味な効果だが、ビジネスとしては大きな影響をもたらす。

これまで、航空会社のエンターテインメントシステムは、毎月1回サーバーごとコンテンツのデータを入れ替えていた。入れ替えられるコンテンツはせいぜい100本程度だろう。しかし、世の中には膨大なコンテンツがある。乗客の好きなコンテンツをほぼ無制限に提供できれば、顧客サービスにつながる。しかも、高額なシステムを導入する必要がなくなるため、航空会社のコストも削減される。航空会社にも乗客にもメリットのある形になるので、この効果は意外に大きい。

これは、移動するときの環境を向上させるモビリティの変化の一部となる。機内では仕事をする人もいるかもしれないし、ゲームや動画などを見る人もいるかもしれない。いずれにしても、楽しみの範囲が拡大し、モビリティの向上が実現する。

4Gの時代には、動画をアップロードするなんてあり得ないという感覚だった人々が、5G時代には次々と発信側に回るようになるだろう。

これまでも、映像分野の文化を変えたのは、通信方式の進化だった。速度と容量が大きくなってテレビ電話ができるようになった。ティックトックが登場するとインターネット上に顔を出しても平気だと考える世代が登場した。こうした現象は、通信方式が進化するまでは予想できなかった。

そういう意味では、5Gが導入されたあと、中学生、高校生たちがどのような反応を示すのか、現段階では想像もできない。しかし、彼らは必ず新たなものを生み出す。新たな使い方を発見する。それがあらゆる世代に伝播し、文化となっていくのだ。

5Gによって画質が4Kテレビとほぼ同等の水準になるので、5Gで動画を常に見る人が急激に増える。画質がテレビに匹敵する水準になれば、当のテレビ局が5Gを使った中継をするようになる。そうなると、テレビ局が抱えるカメラマン、あるいは制作会社に撮影を依頼する必要がなくなる可能性も出てくる。事件や事故の近くにいる素人が撮影した動画でさえ5Gで4K並みの高画質になるので、そのまま番組に使えてしまうからだ。現在でも素人が撮影した動画を番組で使っている場合があるが、画質が悪いので映像のクオリティーは低い。

いきなり素人に任せるのが不安なのであれば、事前に希望者を登録させ、最低限の注意事項をネットで学習してもらえば間違いも少なくなる。現場近くにいる人々をGPSで探し、複数の人に撮影してもらった動画を廉価で買い取る。そういったことができれば、テレビ中継車の多くは不要になるかもしれない。

ドローン・ロボティクスの未来

低遅延が進むと、農業分野の進化も期待できる。

現在でもドローンは農業に使われているが、操作がもっと簡単になり、操作と実行のタイムラグが限りなく小さくなれば、ピンポイントでの農薬散布など大規模農家でのオペレーションが変わる。大容量化によってドローンから送られてくる映像の画質が鮮明になれば、現場の状況を把握する手間が大幅に削減される。もはや、毎日のチェックのために現場に行かなくても、ドローンを巡回させれば十分という時代が来るかもしれない。

ドローンを一気に100台ぐらい飛ばし、農薬散布・水撒き・生育状況の撮影など、同時に別々の仕事をさせることもできるようになる。これは同時接続の進化がもたらす成果でもある。

ドローンが出てきたところで、近未来の有力産業になるであろうドローン・ロボティクスについて触れておこう。

民生用ドローンは現在、中国のＤＪＩが圧倒的なシェアを占めている。その他にはアメリカの３Ｄロボティクスやフランスのパロットなどが有名だ。すでにドローン大国である中国は遠隔操作とプログラミングによって１０００台規模のドローンを一度に飛ばし、夜間に幻想的なパフォーマンスを行ったりもしている。

だが、ドローンはやがてＡＩによる自動認識・自動走行が実現することになるだろう。ドローンの真価が発揮されるのはその時だと私は考えている。

たとえば宅配。いわゆる「ラストワンマイル」と呼ばれている、宅配業者の集荷場からそれぞれの配達先にモノを届ける作業がドローンによって行われる。人間による遠隔操作が、自ら目標地点を検知して向かっていく自走型のドローンに変われば一気に普及することになるだろう。ＱＲコードを着陸地点に付けておくなど、方法はいろいろある。いち早くドローンによる配送の検証実験に乗り出したアマゾンは、おそらくそのあたりまで考えているはずである。

もちろん空だけではない。陸、つまり公道を使った宅配ロボットもアメリカ各地で少しずつ普及している。ワシントンDCなどではベンチャーのスターシップ・テクノロジーズが可愛らしい宅配ロボットによるサービスを始めている。

日本にはファナックのような、優れた産業用ロボットをつくり出してきた会社がたくさんある。ハードウェアとしてのロボットにおいて日本は依然として世界トップレベルだ。だが、何度も繰り返すとおり、中に実装するためのデータや人工知能の部分で大きく差をつけられてしまっている。データの力をもとにどれだけ優秀なソフトウェアをつくれるか、そこがポイントになるだろう。

スターシップ・テクノロジーズの宅配ロボット
（Reuters／Aflo）

5Gがつながっていれば、遠隔手術ができる。

米インテュイティヴ・サージカルが開発した手術ロボット「ダ・ヴィンチ・サージカル・システム」による手術は、現在のところ光ファイバーで通信を行うことができる大病院でしか実施できない。しかし、5G導入によって光ファイバーから回線を直接つなげられれば屋外でも使えるようになる。手術ロボットは、医師が画像を見ながらロボットのアームを動かさなければならないが、求められるのは医師の意思を反映する精緻な動きと、適切なタイミングで必要な部分を動かすことができる低遅延である。いずれも5Gによって実現するので、光ファイバーと5Gの組み合わせであれば、無線LANによって離島の診療所でも本土の医師が遠隔操作で「執刀」できるようになるだろう。

5Gによって「遠隔運転」の精度も上がるだろう。

具体的には、原子力発電所の事故現場など、人が入れないところにロボットを送り込んで処理をするような場合、そのロボットの反応速度は飛躍的に速くなり、仕事の精度も確実に上がる。自動運転車でも、AIではなく遠隔で人が操作することもできるようになる。自動運転では通行が難しい場所、あるいは、特殊な停車の仕方をしなければならない場所などで、自動運転から遠隔操作に切り替えるのも可能になる。たとえば、自動運転とはいえ自分の親に車を運転させるのは不安だから、息子が遠隔で運転するといったようなケースも考えられる。

ダイムラー・トラックなどが実験を重ねるトラックの隊列走行は、複数のトラックを縦に並べて後続車を無人で走らせ、空気抵抗を減らして燃費を抑える狙いがある。これまでは、トラック間の通信にタイムラグが出てしまい、完璧な走行ができなかった。しかし5Gになれば遅延はほとんどなくなり、安全性は高まる。自動運転にできれば、ドライバー不足の解消も可能となる。当面は高速道路だけかもしれないが、長距離の運転が避けられない運送業界の人手不足と人件費削減が同時に実現するかもしれない。

変わったところでは、離れた場所にいる演奏家同士が通信でつながり「遠隔地バンド」ができるかもしれない。音楽のようなハーモニー重視の取り組みでは、わずかな遅延でさえ命取りになる。遅延がなくなれば、さまざまな国の著名なミュージシャンがコラボレーションする機会が生まれる。文化的なつながりと広がりの促進にも5Gは関わっていく。

もう一つ可能性があるのは、ＶＲ（ヴァーチャル・リアリティ＝仮想現実）だ。おそらく、リアルタイムのストリーミングＶＲが実現するのではないだろうかと個人的には考えている。

基本的にはＶＲは映画と同様にデータ容量が大きいので、ダウンロードしてから見るものである。そのため、基本的にはインドアで行われている。しかし、５Ｇによってそれがストリーミングになる。さらに突き詰めると、ゴーグルの外に付いているカメラで外界と相手を認識しながら、相互に通信しながら行うようなＶＲが出てくるはずだ。昨今、フェイスブックがＶＲ空間でアバターによるコミュニケーションが可能なソーシャルＶＲサービス「ホライズン」を発表した。流行のイノベーターでもある中高生は、それをどのように使ってどのような流行を生み出すのか、非常に楽しみでもある。

また、ＶＲがアウトドアに出ると、フィットネス系、観光アプリ、位置情報ゲームなど、生活を彩る面白いシステムが登場するだろう。まだ具体的に何ができるかは想像もできないが、確実に新しい仕組みがつくられていくはずだ。

クラウド――データの大量保存と高速処理を行う

クラウドコンピューティングが定着するまで

クラウドコンピューティングの概念自体は、1960年代から存在したという。しかし、はじめて言葉として登場したのは、1996年のことだ。

パソコンメーカーのコンパック（後にヒューレット・パッカードに買収される）の社内資料に、クラウドコンピューティングの概念が定義され、それをクラウドと名づけたという記述がある。一つひとつのコンピューターサーバーにデータを保存し、各コンピューターですべての処理をするよりも、ある大きなインフラとしてのサーバー群にあらゆるデータを保存し、そこでまとめてデータの処理も行い、誰もがそこからさまざまなデータを引き出せる――という考え方だ。

データをサーバーに預ける行為自体は、とくに変わった発想ではない。ただ、データを預けるだけではなく、預けた先のサーバーでどんどん処理していくというのは、それまでになかった発想だ。とくに、グーグルドキュメントに代表されるリアルタイムの共同編集については消費者に強くは求められていなかったし、法人側もそれを拡大する余力もなかった。ようやく認知されたのが2006年にグーグルドキュメントが一般公開された時期で、これに刺激されたさまざまな企業がクラウドコンピューティングに乗り出した。

公式に言及されたのは2006年、当時のグーグルCEOエリック・シュミットがカリフォルニアで開催された「サーチ・エンジン・ストラテジーズ・カンファレンス」で行った発言だ。グーグルはその後「グーグルアップス」という、グーグルドキュメント・グーグルカレンダー・Gメールなどを含むサービスを提供したが、それがクラウドコンピューティングのはしりだ。アマゾンも「AWS」を2006年7月に公開した。一般の消費者がクラウドコンピューティングという言葉について耳にしたのは、この2006年あたりと考えていい。

コンパックが言及した1996年から、グーグルが言及した2006年までの間で、特筆すべきは電子メールである。「ホットメール」というマイクロソフトの無料メールサービスが流行し始めたのは1998年ごろなので、消費者がクラウドコンピューティングサービスを最初に使ったのはそのころだと考えられる。以後、ユーザーはクラウドの自覚なしにクラウドを使うようになっていった。

ただ、当時はデータ量に制限があったので、クラウドという概念や電子メールサービスはあっても、カレンダーやドキュメントをリアルタイムに編集するには通信速度と容量が足りなかった。

ホットメールが100メガバイトレベルだった2000年代のはじめにGメールが1ギガバイトという巨大な容量を無料で提供したのは画期的で、多くのユーザーがホットメールからGメールに移った。これに象徴されるように、クラウドコンピューティングにとって容量は大きなボトルネックになっていた。


その後のクラウドに関するトピックスとして特筆すべきは、SaaS（ソフトウェア・アズ・ア・サービス）という概念の誕生である。この言葉は、ソフトウェアをユーザー側がインストールするのではなく、サプライヤー側で稼動させているソフトウェアをインターネット経由で「サービスとして」ユーザーに提供することを意味する。コンピューターにインストールして使う形ではなく、使いたいときに使った分だけ課金するのがSaaSの本質である。

日本に登場したのは2008年のことだ。当時はリーマンショックの真っ只中で、ソフトウェアのコストを下げようという圧力もあり、SaaSへの移行に拍車をかけた。ソフトの販売にはもともとパッケージソフトを売るための流通コストや、マーケティング施策など面倒なことが多かったので、SaaSの概念はすんなりと受け入れられた。

これからどうなっていくかは正直なところ不確定な要素が大きいが、ありとあらゆるものがクラウド化する流れはこの先も続いていくだろう。それが5G、そして6Gと進化していけば、クラウド化やSaaSもより加速するのは間違いない。

パッケージソフトを製作・販売していた企業は、収益源を別の形に変化させていく。基本的にサービス内容自体が魅力的であれば、SaaSの流れが勢いを増しても収益は悪化しない。オフィスをつくっているマイクロソフト、アクロバットやフォトショップをつくっているアドビなどは、逆に株価が上がったぐらいだ。

これまでは、一度しか使わなくてもパッケージを購入しなければならず、高額の代金を払わなければ手に入らなかった。この金額が高すぎて手が出なかった人々が、SaaS化して廉価になったおかげで積極的に使うようになった。一方、ソフトウェアハウスも違法コピーによって収益源を失っていたのが、SaaS化することで継続的な使用者が増加し、毎月１０００円から２０００円という固定収入が入ってくるようになった。その結果、大幅に収益が改善し、マイクロソフト、アドビ両社の株価は回復したのである。

グーグル＆アマゾンのクラウド戦略

クラウドコンピューティングが始まった当初は、ＩＢＭ、シスコシステムズ、サン・マイクロシステムズ、レッドハットなどのサーバーが使われていた。しかし、グーグルは独自のサーバーを内製化している。さらにサーバーの記憶容量を高め、データ処理を司るプロセッサの性能も高め、ＣＰＵから人工知能専用のＴＰＵというチップもつくっている。

ここまでスケールが大きくなってくると、もはや外注するよりも内製化したほうが安い。それに、内製化することで差別化を図ろうとする狙いもある。アマゾンなどの競合先よりも速度や容量に優位性があることをアピールする材料になる。そのほかにも、アプリケーションによる差別化も進んでいる。グーグルであればグーグルドキュメントやグーグルフォトがあり、データを貯蔵すると同時に人工知能で解析するという機能も売りになる。データを預けるだけであれば差別化は図れないが、もはやデータを預けたあとに何ができるかという点が重要なポイントになっている。

現在、さまざまなクラウドコンピューティングサービスが存在するが、それらの大本にはグーグルかアマゾンがいる。マーケティングの解析ツールをクラウドで出す企業があっても、サービスのプログラムコード自体は自分たちでつくるが、それを実際に提供するのはグーグルやアマゾンのサーバー経由であるケースがほとんどだ。

アップルも、２０１１年に遅れてｉＣｌｏｕｄを導入した。アップルのｉＣｌｏｕｄをクラウドのはしりだと思っている人も多いが違う。それまではグーグルとアマゾンの独壇場だったが、アップルも２００７年にｉＰｈｏｎｅを出したことから、ユーザーのデータをクラウドサーバーに上げることにフォーカスし始めたのである。

ただ、ｉＣｌｏｕｄに上げたデータをもとに、どのようなサービスを提供するのかという部分が弱かった。当時のアップルが人工知能に強くなかったこともあり、優れたデータを大量に持っていても、それを料理する機能がなかったので大きな差とはならなかった。

結局、いまでも先行しているのはグーグルとアマゾンの2社である。貯蔵するデータも書類や写真だけでなく動画など多岐にわたり、それで何ができるかというところで差別化を図る競争に入っている。

クラウドコンピューティングが進化することで優れた計算処理能力が手に入り、手元のパソコンやスマホの性能に依存する必要がなくなってくる。パソコンやスマホに表示される内容は一緒なので、通信速度さえ速ければデータを即座に利用できる。また、Gメールでも何万通、何百万通というメールの処理を個々のパソコンやスマホで行おうとしても、とてもできるとは思えないが、クラウドによってどんなデバイスでも可能となるのは非常に大きな魅力だと思う。これからは、単純に結果の表示だけが手元のデバイスに映り、背後にある処理はすべてクラウドに代行させるという流れに拍車がかかる。

そのクラウドの力を加速させたのは、スマホの普及が大きい。小型化・軽量化を追求したスマホが大容量の記憶媒体を搭載するのは難しいので、必要最小限なものだけを手元に置き、残りは外部に任せるという仕組みがクラウドを進化させた。CPUとプロセッサが進化して処理速度が速くなり、消費電力が下がったのは事実だが、クラウドの力を最大限発揮させるのはAIや5Gとの組み合わせが肝、いわゆるトライアングルによる相乗効果なので、クラウド自体が進化したという実感は得にくい。

クラウド最先端事情と近未来予測

クラウドはどう進化し、今後はどういうビジネスが生まれてくるのか。

最先端として強調すべきは人工知能とのコラボレーションである。グーグルが開発した「テンサーフロー」という人工知能のプラットフォームが無料で公開されている。これを使うと、グーグルの人工知能を使ってさまざまな解析ができる。

原理を理解する必要はないが、用途を知っておいて損はない。たとえば、商品の分類を自動的にしたいとき——これは靴だ、これは靴ではない、これはバッグである、これはバッグではない——こうした分類を、テンサーフローに付随するサービスを使えば画像をアップロードするだけで勝手にやってくれる。

ビッグデータが話題になった時期があったが、すでに現在はビッグデータが当たり前になった。しかし、データを解析するためにビッグデータを自分たちのサーバーで抱えることは、サーバーの容量の問題があって不可能だ。ビッグデータを預かってくれたうえ、その場で料理までしてくれるサービスが当たり前になってきている。

働き方改革で、ビデオ会議の使い勝手が再び脚光を浴びている。

日本ではアップルのフェイスタイム、マイクロソフトのスカイプ、フェイスブックのメッセンジャーなどが一般的だが、アメリカではすでにズームが標準だ。ウェブブラウザでURLをクリックするだけで、手軽にビデオチャットができる。これもクラウドの技術である。シェアはまだ少ないが、日本でもアップル他2社を侵食し始めている。米ズームビデオコミュニケーションズは2019年4月にナスダックに上場し、上場初日に時価総額159億ドル（約1兆6000億円）をつけた。これもクラウドコンピューティングの進化のおかげである。

消費者にとって身近なクラウドサービスの一つがグーグルフォトだろう。写真を自動的にアップロードしてくれて、かつ自動的に解析してくれる。タグ付けも、トピックごとの整理もしてくれる非常に便利なツールである。

これまでも、写真を整理するソフトウェアは数多く存在した。しかし、それはあくまでもパソコンに入っているだけの状態だった。グーグルフォトは、さまざまなデバイスで撮影した写真をすべて統合してくれる。これもクラウドがなければできない機能だ。

身近なところでは、配車アプリのウーバーもクラウドサービスだ。

配車をする際にお互いの情報をやり取りしたり、チャットによってリアルタイムに動けたりするのもクラウドのおかげである。あるドライバーと利用者が1対1の通信をするとなると、ドライバーの位置情報は常に送信し続けなければならないし、チャットのアプリには翻訳機能も付けておく必要がある。リアルタイムでの道路情報も必要になるため、グーグルマップやルートナビゲーションのデータも必要だ。これらのデータを、すべてのドライバーと利用者のアプリに入れておくのは不可能だ。

クラウドにすべてのデータがあれば、必要なときに必要なデータを利用者とドライバーに分け与えられる。巨大なシステムがあって、それがクラウドによって利用可能になったからこそ生まれたサービスがウーバーなのだ。

次に、クラウドの近未来を予測してみよう。

すでに、動画やゲームはクラウドにアップロードされている。では、現時点でもクラウドにアップロードされていないものは何だろうか。それはOSである。パソコンではマイクロソフトのウィンドウズとアップルのmacOSが大半を占め、モバイルではアップルのiOSとグーグルのアンドロイドが大半を占めているのが現在のOS

勢力だ。

　クラウドがさらに進化すると、ＯＳのクラウド化が進むことになるだろう。

　実際、アプリをダウンロード・インストールすることなく、その都度最新の状態でクラウド経由で処理ができるストリーミングサービスが始まっている。それがＯＳの世界でも実現するだろう。その流れを押しとどめることはできない。インストールするまでもないが試しに使ってみたいなどという場合に、こういったものが使える。

　ＯＳがクラウド化されると、手元のパソコンにあるのはログイン機能だけとなり、あとはすべてストリーミングにアクセスすればよくなる。そうなると、パソコンには通信機器とモニターとキーボードさえあればいいので、いまは10万円する機器が３万円程度で買えるようになるだろう。ただし、ＯＳを使うために月額料金がかかる。ＯＳの接続が遅くては意味がないが、５Ｇが導入されることでその心配はなくなる。ＯＳのクラウド化に対する障害はほとんどない。

　すでに、遠隔操作で別のパソコンを操作するリモートデスクトップという機能がある。家にいながらにして会社のパソコンにログインして操作することが可能なシステムだ。会社のパソコンからデータを動かしたくない、会社のパソコンのほうが性能がいいなど、コンピューティングパワーの高いマシンにリモートで入って処理するという考え方は一般化している。

同じことがＯＳでも行われる。クラウドというコンセプトは、データはみんなでまとめたほうがスケールメリットが享受できるという発想から始まっているので、ソフトウェア機能、コンピューティング能力を個別に持つ意味があるのかが問われている。ワードやエクセルなどをグーグルドキュメントという形でクラウド化したら、同時接続をはじめ、複数の人間が同時に編集できたり、モバイル化ができたりするなどいいことずくめだった。ＯＳのクラウド化でも、同じような効果が得られるはずだ。

クラウドゲームが火をつける大競争の時代

もっとも早くクラウドの進化が見られるのはゲームである。グーグルは、クラウドゲームのプラットフォーム「スタジア」のサービスを２０１９年11月からアメリカとヨーロッパで始めた。有料サブスクリプションプラン「スタジア プロ」は、月額9・99ドルでプレイできる。ライブラリーには、いくつものゲームが次々と追加されていく。

これまで、さまざまな企業がチャレンジしているが、大きな成功には至っていない。2014年にクラウドゲーム提供サービスであるプレイステーションナウを始めたソニーも苦戦が続いている。ただ単にプレイステーションのゲームがサーバー上でできるだけで、しかも通信ソフトも遅かったのでさほど受け入れられなかったのだ。プレイステーションの利用者が9000万人いるうちの1%も使わなかったという。これは、クラウド側もゲーム会社の工夫も足りなかったがゆえの結果だったと思う。オンラインでほかの人たちと同時対戦ができるなど、クラウドならではの特徴があれば結果は変わっていたかもしれない。

マイクロソフトのXboxもクラウドゲーム進出を発表したが、発表しただけで、まだ始まってはいない（執筆時点）。各社ともトライはしようとしたものの、実際に出したのはソニーだけだ。ほかにはNVIDIAのゲーム機ブランドGeForceがチャレンジしたが、これも現時点では成功していない。

クラウドゲームの登場で打撃を受けるのは、もちろんハードウェアとしてのゲーム機メーカーである。任天堂はスイッチ、ソニーはプレイステーション、マイクロソフトはXboxというハードウェアを持っているが、これまでは「このゲームをプレイするには、このハードウェアを持っていないとできない」という理屈で販売してきた。しかし、今後この理屈が通用しなくなる。

これまでは、テレビや携帯ゲーム機器でプレイするので、ゲーム機そのものに処理能力が必要だった。ところが、すべてクラウドで処理ができるようになるため、ゲーム機器メーカーはユーザーを囲い込めなくなる。ゲームはプラットフォームビジネスなので、ゲームソフトを開発するメーカーを囲い込んでロイヤリティを受け取るというビジネスモデルが成立していた。今後はそれもできなくなる。おそらく、近い将来にはゲームのクリエイターだけが残り、ゲーム機器メーカーという存在自体は極小化していくだろう。

今回、グーグルが自信を持ってスタジアをリリースできたのは、5Gの導入が大きく影響しているが、ほかにも重要な理由がある。

クラウドは、アメリカやアジアなど4～5つの地域にサーバールームを置き、同じ内容を分散させて停電リスクなどに備えている。しかし、そのままでは距離の問題で遅延が発生してしまう。50キロ先にあるサーバールームですべてを処理しようとすると、あまりにも時間がかかりすぎるのだ。

そこで、サーバールームと実際にゲームをする人たちの間の400メートルから1キロの間に2000から4000ヵ所のミニサーバーを設置し、そのミニサーバー群が優先的にゲームで必要な処理だけを行うことによって、動画の遅延とゲームコンソールからの入力遅延を0・6秒から0・2秒に抑えるなどの工夫をしているのだ。

繰り返すが、クラウドゲームが実現するともはや手持ちのスマホの処理能力が不要になる。動画を受けてボタンを押して送信するだけなので、スマホの処理能力が小さくても、さらに処理能力の必要なゲームができるようになる。

同じことは、日常のパソコンやスマホの処理にも出てくる。

パソコンやスマホが「容量がいっぱいだからできない」という話がなくなる。必要なものを必要なときにクラウドから引っ張ってくればいいし、手元でバージョンアップの操作をしなくても、大本のクラウドで処理が行われているので、気がつけば新しいバージョンになっている状態が当たり前になってくる。

一部のサービスでは始まっているが、自分という認証があればどのデバイスから入っても同じところにアクセスでき、同じサービスが使える時代になる。そうなると、ソフトウェアのためにパソコンやスマホの乗り換えという発想がなくなる。もちろん、手元の画面が大きく、より鮮明になったり、ハードウェアがアップデートしたりはあるかもしれないが、中身のサービスはすべてクラウドにつながっている世界になる。

手元のデバイスは、キーボードのタッチの快適さ、画面の解像度などが価値となり、もはや電化製品になる。5Gによってクラウドに高速にアクセスできるのが当たり前になるからこそできるサービスだ。この動きは、やがて来る6Gになってさらに加速するだろう。

ブロックチェーン——参加者同士で正統性を証明しあう仕組み

ブロックチェーンとは何か

「ブロックチェーンとビットコインはどんな関係にあるの？」

よくこんな質問を受ける。誤解している人が多いようだが、実態はビットコインが先に誕生し、そのビットコインの仕組みのことをブロックチェーンと定義したにすぎない。

「ブロックチェーンは善だけど、ビットコインは悪だ」

こんな批判をする人も多いが、それは間違っている。ブロックチェーンとビットコインの歴史を理解していないことから生まれる誤解である。

ビットコインの始まりは、そもそも既存の金融システムに対するアンチテーゼだった。2009年、突如としてインターネットに9ページの論文がアップされた。そこには、従来の金融システムを一変させるコンセプトが書かれていた。論文の著者は「サトシ・ナカモト」と名乗っていた。なぜか日本人の名前が使われているが、日本人ではないだろうと現在では考えられている。

その論文を見たさまざまなプログラマーの一部が、これは面白いと論文に書かれた仕組みを構築しようと集まった。メーリングリストなどでやり取りしながら「ここはいいコンセプトだ」「ここはこんなふうに実装したほうがいいよ」など、互いにアドバイスし合った。1年後の2010年、ようやく完成したシステムがビットコイン（ブロックチェーン）なのである。

ブロックチェーンの仕組みは非常にシンプルだ。細かい話は省き、大事な点だけに絞って説明しよう。

Aさんが遠方のBさんにお金を送るには、銀行を使うのが一般的だ。銀行には、自分の預けたお金を確実に相手に届けてくれるという信用があるからだ。一方で銀行が信用できるかどうかはともかく、銀行のようなたった一つの企業の信用に頼るよりも、多くの人々の信用が集積したシステムのほうが、より信用力や正統性が高まるのではないかというのがブロックチェーンの発端だ。

たとえば、Aさん、Bさん、Cさん、Dさん、Eさん、Fさんの6人がいたとして、AさんがBさんに対して1万円を送る取引を、残った4人に「（取引を）承認してください」と依頼する。このときに使われるのが、過去の取引がすべて記載された「台帳」のようなものだ。新たな取引が正しいものであるかどうかをみんなでチェックし、正しい取引だとみんなが承認したものだけが台帳に記載される。同時に、過去の取引記録が書き換えられていないかどうかもみんなでチェックする。結果として、正しい取引の記録だけが台帳に残り続けていく。

ただ、取引の都度全員がチェックするのは現実的ではない。そこで、自由参加型の競争にしてもっとも早く正しい記録を計算・承認して皆と共有した人に、計算の「お礼」として、その作業に対して対価（報酬）が支払われるという仕組みになっている。その作業には膨大な計算量が必要になる。

たとえば1万円を送金するときにかかる銀行の送金手数料が100円だったとして、ブロックチェーンでの送金の対価が50円に設定できるとしよう。送金する人はコストの削減になる一方で、計算するだけで50円もらえるなら「自分がやる」と手を挙げる人は必ずいる。そしてその計算は、特別な能力が必要なわけではなく、コンピューティングパワーの勝負になる。つまり、サーバーをできるだけ数多く揃えた人が勝ちやすいのである。

50円の報酬をもらえるとしたら、49円を暗号を解くためのコストに使っても儲けは出る。そうなると、49円を使って何度も何度もチャレンジするために最新のサーバーを整える業者が出てくる。ブロックチェーンは、この作業（マイニング）に興味を持った人々が多数参加することで成り立っている。

ビットコインが問う「貨幣とは何か」

ビットコインが始まった当初、1ビットコインの価値には誰も言及しなかった。ただ仕組みができただけだった。2010年5月22日、2枚のピザと1万ビットコインを交換してほしいという物好きが現れた。1ビットコインの価値も定まっていないのに、1万ビットコインで買うという取引が成立した。それが、ビットコインが初めて貨幣的な価値を持った瞬間だった。これは「ビットコイン・ピザの日」と呼ばれている。

この出来事から言えるのは「そもそも貨幣とは何か？」という疑問だ。1万円札の製造コストをおよそ100円としよう。専用の紙に印刷し、偽造防止のテクノロジーを施し、ATMや銀行に運ぶシステムを完備し、ほかにさまざまな安全策を講じても100円しかかからない。

では、残りの9900円の価値はどこから生じているのか。それは信用でしかない。1万円と印刷され日本銀行が発行した紙が、1万円分の価値と同等だと多くの人々が信じているだけだ。電子マネーは、特殊な板に電子的に1万円というデータを書き込んだだけで、そのデータに1万円分の価値があると皆が信じている。楽天ポイントやペイペイポイントも、単に1ポイントは1円の価値があると約束した企業を信じているだけなのだ。

だが、本当にその価値があるのかどうかは誰にもわからない。それでも、人々は疑うことなく信用する。同じことはビットコインにも言える。

「みんなが価値があると言っているから大丈夫だ」

その信用こそがビットコインの仕組みであり、ブロックチェーンの考え方だ。

ビットコインはアメリカで始まり、盛んに取引が行われたが、すぐに中国勢が入ってきて、マイニングを始めた。彼らとしては、なるべく多く計算・承認をしてお金を稼ぎたかったのだろう。中国ではマイニングに必要なサーバーが安いので、ほかの国よりも台数が揃えられる。台数が多ければ多いほどコンピューティングパワーが上がり、サーバーを稼動させるために必要な電力も人件費も安いので、彼らに分があった。

しかし、途中で中国政府が規制を始めた。中国政府としては、新たな貨幣的価値を持つ存在が登場すると、通貨の中国元がコントロールできなくなる可能性が増すだけに困る。情報統制を実施している中国に、いきなり統制が利かない自由なシステムが入ってくるのを避けるためビットコインが禁止された。途端に流通量が減り、お鉢が回ってきたのが日本だった。2017年12月、日本円によるビットコインの売買高が世界の半分以上を占め、1ビットコイン2万ドルという歴史的な最高値を付けた。

ただし、現在のビットコインの隆盛が未来永劫続くとは限らない。相互認証による不正防止の仕組みが取り引きを簡略化し、より利便性が高まるブロックチェーンのシステムは、ビットコインのほかにも数限りなくあるからだ。現時点では、その主軸が何になるかはまだ不透明だ。

ブロックチェーンには「パブリック型」と「プライベート型」の2種類がある。

プライベート型は、社内に限定されたり、認可された企業しか参加できない閉じられた空間で認証し合うものである。ただし、参加する人が限定されると信用力は落ちる。

一方、パブリック型は完全にオープンで、誰が参加してもいい。ただし、ビットコインを売買する取引所があり、アカウントを作成して参加者の素性を把握しないと、マネーロンダリングなどに悪用されてしまうリスクがある。とはいえ、現金と違ってビットコインの売買履歴はすべて紐づけられているので、追跡することは可能だ。

ブロックチェーンはビットコインなどの金融分野だけにとどまらず、たとえば政府系機能を補う存在にもなりうる。これは確かに正しいだろうと証明できるものであれば、どのようなものにでも代替できる。

その顕著な例が戸籍である。

戸籍証明は基本的に市区町村や国の記録に基づいているが、このデータをすべてオープンにして、そこで認証することができれば、対象者が確かに特定の場所の出身であることが証明される。個人情報の漏洩リスクについては、データを閲覧できる業者を登録制にすれば防ぐことができる。

戸籍を管理する業務を市区町村からブロックチェーンに移行するのは、経費削減と利便性の向上が目的となる。なぜ証明書類を取るときに、役所や出張所に行かなければならないのか。そのデータを保管するためだけのサーバーがなぜ必要なのか。それらをメンテナンスする業務を税金でまかなう必要があるのか。いわゆる「胴元」の存在がコストを上げ、利便性を下げている。その対価が信用なのだが、ブロックチェーンはその弊害を解決してくれる。

マサチューセッツ工科大学（ＭＩＴ）は、すでに卒業証明をブロックチェーンを用いて発行している。「たまにしか使わないが、間違えてはならないもの」に対する親和性が高い。

たとえばダイヤモンドの鑑別がある。紛争地域やチャイルドレイバーなど労働環境が劣悪な場所で生産された「ブラッドダイヤモンド」は、ＥＳＧ（環境・社会・ガバナンス）の文脈においては流通を避けるべきものだ。正規のルートを通っていたかどうかのトレーサビリティーは、ブロックチェーンによって確実なものとなる。

ワインもダイヤモンドと似ている。産地や品種によって価格が上下するものでの、正規品か否かの確かさの拠り所となる。ほかにも貿易や農産物、アート作品など証明が必要な対象にブロックチェーンは適している。政府や教育機関などが行っている「認証」のように、ブロックチェーンで保存されたデータは改竄（かいざん）されにくく、万が一改竄されたとしても、履歴が残るからだ。

ただし、リスクがないわけではない。全体の51％以上の計算能力があれば、正しい答えを否定することが理論的には可能だ。どこかの誰かが巨大なサーバー群を用意し、手数料獲得だけの目的で全力でマイニングをすれば、ある意味でマイニング自体を乗っ取ることもできないわけではない。

だが、たとえ、その51％の能力を持ったとしても、マイニングによって得られる価値を自ら下げる動機がない面や、あるいは、51％以上のサーバーを揃えるコスト的な面で、いまのところそのような事態は起こっていない。それでも、ブロックチェーンの脆弱性として念頭に置き、対策を講じていく必要はある。

ブロックチェーンのこれから

２０１９年6月、フェイスブックが仮想通貨「リブラ」の構想をぶち上げた。リブラは最初はプライベート型、数年後にパブリック型のブロックチェーンに置き換えるという。ブロックチェーンの歴史を変える出来事になると期待されたが、アメリカ国内での反発により、同年11月の時点では頓挫している。

リブラはウーバーなどの企業とグループを組み、その中で認証し合う形となる。サービスの利用者がリブラを使うときには本人確認を行い、価格の乱高下が起こらないようドル・ユーロ・円など既存の通貨と連動させるため、投機目的に利用されない安定した決済通貨を目指すという。

既存の通貨との違いは、世界の金融インフラを整備するという壮大な目的があることだ。

フェイスブックは2019年現在、全世界に27億人のユーザーがいる。しかし、そのうちの約3割はアジア、アフリカ諸国で暮らす銀行口座を持たない人々だ。送金するのもままならないばかりか、送金できても高額な手数料がかかり、着金まで何日もかかる。それらの問題をすべて解決する金融サービスを届けるという意味では、非常に価値ある行動である。この動きが、既存の金融システムを飛び越えた解決策になる可能性は否定できない。

しかし、既存の通貨の発行者、つまり各国政府からは反対されている。これは当然だ。既得権益を持つ各国政府・中央銀行の立場からすると、自分たちがせっかく作り上げたシステムが破壊され、通貨を介してコントロールしていた経済システムを真っ向から否定する勢力の台頭は、容認できないだろう。

場合によっては、フェイスブックが通貨のコントロール権を握る可能性もある。しかし私は、それが悪だとは思わない。むしろ、既存のシステムよりも金融政策が有効になるのではないかと考えている。

そもそも金融政策の前提となる統計、たとえば、現在の小売統計や雇用統計は指標として粗すぎる。日本でいうと都道府県全体の数十％程度のサンプルから導き出した指標にすぎず、現実を表していない。もしサンプルではなくすべてのデータを取れれば、もっと効果的な政策が打てるはずだ。

通貨も同じである。どこに資金が滞留しているのか。どこに資金需要があるのか。それらがすべてデータを通じて把握できるリブラのようなシステムのほうが、景気刺激策についても現実に即した、より大胆な策が用意できるのではないかと考える。

通貨に関しては国家と中央銀行が大きな権限を持っていて、その最大のものが通貨の発行権だ。既存の国家にとっては、リブラを導入するメリットはない。ただ、銀行口座を持たない人々にとっては非常に魅力的なものになるだろう。

どちらを選択するかは、利用者の問題だ。フェイスブックがチャレンジするのは、あながち間違いではないと思う。

フィンテックと日本の金融機関の運命

「フィンテック」はファイナンス(金融)とテクノロジー(技術)を組み合わせた造語だ。フィンテックには大きく二つの種類がある。一つは、ここまで説明してきたブロックチェーン。そしてもう一つは「既存の金融機関に、より効率の良いシステムを提供するためのテクノロジー」である。本章の最後に、この二番目のフィンテックについて少々論じておきたい。

金融とテクノロジーとはたいへん相性が良い。例を挙げて説明しよう。

そもそも金融ビジネスでは銀行(貸す側)と顧客(借りる側)との間に情報の非対称性が存在する。よく知らない顧客の場合には、貸し倒れのリスクがあるために、その分、金利を上乗せせざるを得ない。逆に言えば、テクノロジーの力によって銀行がその顧客に関するデータを十分に持ち、信用情報をより正確に把握することができれば、情報の非対称性のハードルが下がり、リスクが軽減され、金利をもっと安くできるかもしれない。貸出金利が下がれば銀行側の利潤は下がるが、その分貸し出す金額のボリュームは上がる。結果としてテクノロジーの発展は金融ビジネスの拡大につながるはずである。

つまり、データを集められない、データ・テクノロジーに暗い金融機関は、これから圧倒的に不利な状況に置かれるというわけなのだ。

それだけではない。従来、金融機関が人を使って行っていた仕事が、いま次々とディープラーニングのＡＩに置き換わりつつある。

アメリカ金融界の名門、ゴールドマン・サックスには十数年前には証券の値付け（マーケットメイキング）を行うトレーダーが５００人も在籍する部署があったという。それが現在ではわずか５人程度になっている。その大半がＡＩトレーダーに置き換わったのだ。ちなみに現在、同社には約９０００人のエンジニアが在籍しているという。この事実をもってしても、これからの金融機関は、従来のそれとはまったく違うものになるであろうことは明らかである。

金融機関はもはや独立して存在できなくなるかもしれない。

「グーグルとシティバンク」

「アマゾンとＪＰモルガン」

「アップルとゴールドマン・サックス」

アメリカではＦＡＡＮＧ＋Ｍと大銀行との業務提携が少しずつ進んでいる。時価総額で言えば、アップルの１２０兆円に対してゴールドマン・サックスは９兆円ほどだ。両者は２０１９年８月に「アップルカード」というクレジットカードを共同で発行したが、利用者にとっては窓口となるアップルしか目に入らない。もちろん推測の域を出ないが、近未来には、銀行はＦＡＡＮＧ+Ｍの一部門になっている、という可能性も否定できないだろう。

一刻も早く、日本の金融機関もデータ・テクノロジーへの投資を加速させるべきだと思う。

フィンテックで特筆すべき点をもう一点挙げるとしたら、ＱＲコードを使った「コード決済」だろう。ＱＲとは「クイック・レスポンス」の略で、自動車部品メーカーであるデンソーの子会社、デンソーウェーブが開発した技術だ。その技術を利用することで、ＱＲコードにＵＲＬを読み込ませて、スマホからオンライン（端末がインターネットにつながってサービスが受けられる状態）に飛ばせるというアイデアにつながった。

大規模なポイント還元やキャンペーンによってヤフーのペイペイ、楽天の楽天ペイ、メルカリのメルペイほかが、日本でも急速に普及している。ヤフーや楽天、メルカリ側にしてみれば、早期の段階で顧客を囲いこみ、データさえ取れれば、後からいくらでも稼ぐことができる（少なくとも彼らはそう考えている）。だからこそ、あれほど大規模なポイント還元キャンペーンを打てるのである。また、設置する店側にとってもお釣りが不要、初期費用や決済手数料が安いなどのメリットがある。こうしたキャッシュレス経済の波が日本でも今後ますます広がっていくのは間違いない。

終章　テクノロジーの進化を見定める

新たなテクノロジーに対してアンテナを立てる

既存の企業は、自分たちが現在収益をあげているビジネスを脅かすような新しいテクノロジーを、なにかと理由や理屈をつけては否定しようとする。

日本のＩＴ関連企業がクラウドコンピューティングに大きく出遅れたのは、アメリカでいくつかの企業がクラウドを推し進めようとしていたときに、日本企業でこのテクノロジーに未来を感じていた会社が一つもなかったからだ。

「アメリカと違って、日本ではサーバーを販売するビジネスを続ける必要がある」

「クラウドコンピューティングは危険だから受け入れられないんじゃない？」

こうしたネガティブな情報を、当時はまことしやかにＩＴベンダーたちが話していた。巨人ＩＢＭでさえも、サーバーを販売する自らのビジネスを破壊するクラウドには積極的ではなかった。

先を読めなかった結果は、５年後、10年後にじわじわとやってくる。結局、恩恵を受けられずに損をするのは、テクノロジーの知識や情報に疎い人なのだ。

自動運転に関しても、これだけテクノロジーが進んでいるというのに、日本の一部の自動車業界ではまだこんなことを言っているようだ。

「完全な自動運転なんて、まだまだ先の話だよ」

「自家用車はともかく、自動運転のタクシーなんかあり得ない」

本当だろうか。今はまだ一部の機能とはいえ自動運転車はすでに市場に出ている。ロボットタクシーも2020年から稼動を始めると発表している会社さえある。いったい、何を信じればいいのだろうか。

さまざまな情報があふれ返るなか、情報を鵜呑みにしてはいけないのは確かだ。

「なぜこの人はこんなことを言うのか」

「この人のポジションやバックグラウンドを考えると、こう言うだろうな」

まずはそんな「あたり」をつける習慣を身につけるべきだと思う。これは決して「先入観」ではない。むしろ「警戒心」のようなものだ。見て見ぬふりや思考停止がいちばんいけない。不必要に恐れるのではなく、予測して健全に身構える姿勢が重要であることを、まずはご理解いただけたらと思う。

この人はこんなことを言うだろうと予測している場合と、まったく予測していない場合とでは、情報に対するインパクトが異なる。予測と反することが出てきても、反対のベクトルが出てきたことには驚くかもしれないが、対策は立てやすい。

自分の中に「軸」がまったくなく、この分野は初心者でわからないから教えてくださいという姿勢では、相手に丸め込まれてしまう。多様な見方ができる問題には、それぞれの軸をしっかりと勉強してから情報に触れるべきだ。

そして、ファクトチェックをする。クラウドについてアマゾンの言い分にも耳を傾けてみる。アマゾンが自分たちの商品を売りたいためにクラウドを過剰に評価することもあるので、グーグルは何と言っているか、マイクロソフトのクラウドチームは何と言っているか、すべての考え方を聞いて共通点があるようならば、それはおそらく正しい。違った考え方だったら、ポジショントークの可能性も頭に入れて情報に触れるべきだ。

これだけ情報があふれていても、それがすべてアクションにつながるわけではない。この情報は本当にファクトなのか、必要以上に誇張しているのか、自分たちに都合のいいように言っているのではないかなど、情報のリテラシーと判断も重要だ。

新しいテクノロジーに関する情報は、そのテクノロジーを発明した（と主張する）人や、それを使って起業しようとする経営者は10倍ぐらいよく見せようとするものだ。

「未来はこんなふうに変わります」

「20年後はこうなるに違いありません」

誇張するわけではなく、事実と異なることを本気で信じている経営者もいる。その罠にはまらないためには、その経営者の経歴をしっかりと見ておく必要がある。あまりにも経歴とかけ離れているような経営者の言説には、疑いの目を向ける必要がある。

2018年6月に、米セラノス社の経営者が詐欺の容疑で起訴された。2003年、経営者が19歳のときに起業し、指先から採取する血液1滴だけで即座に疾病の検査結果が得られるという虚偽の情報を流した。投資家をはじめ医師や患者を騙した結果、一時は90億ドルまで評価された企業価値も急降下し、2018年9月に解散している。

血液検査に関して革新的な発明をしたと当事者たちが主張しても、ファクトチェックと情報のリテラシーさえあれば、完全に騙されることはなかったのではないか。企業の利害関係を熟知したうえでの情報リテラシーは非常に重要で、そのためにも統計学と行動科学の知識もある程度は必要かもしれない。統計学と行動科学を勉強すれば、さまざまな「バイアス」の知識が得られるからだ。ここでその中のいくつかを紹介したい。

サンプル・セレクション・バイアスは、そもそも母集団から無作為にサンプルを抽出するか否かによって結果がまったく異なることを言う。たとえば、日本人1億2000万人の傾向を知るためにアンケートを行うとき、そのサンプルがすべてある特定の県民だった場合、それは本当に日本人を代表しているサンプルなのかということだ。47都道府県から満遍なくサンプルを選んだり、女性と男性の比率を同じにしたり、あらゆる年代から均等に選んだりしてはじめて、日本人1億2000万人の代表ができる。サンプルを選ぶ時点ですでにバイアスがかかっているのでは統計データとして適切ではない。

認知バイアスは、物事を判断するときに、ファクトだけでなく個人の常識、感情、環境を含めてしまうため、合理的な判断ができない状況を指す。ある商品を手に取ったとき、どこかで見聞きしたことがあるとつい買ってしまうことはないだろうか。その商品の機能や効果を見て、本当に自分にとって必要かどうかで判断しているわけではなく、ただ単にCMで見たことがあるからというだけで買ってしまうのは、合理的な態度とはいえない。

もっとも陥りやすいのが確証バイアスだ。成功体験、正しいと信じていること、社会的に認知されている考えなどによって深く考えずに判断してしまうことである。これまでハードウェアで勝ってきたから、これからもハードウェアでいこう。世界一のモノづくり企業になるというミッションを掲げたから、それを突き詰める。そんな考えでは、未来は戦っていけない。

むしろ、自分がこれまでやってきたことが本当に正しいのか、常に疑問を持つ思考や態度が必要だと思う。未来のテクノロジーは過去の延長線上にはない。かなりの確率で未来への道は曲線状態になるので、これまでの経験が邪魔になることもある。

日本だけのテクノロジーには意味がない

耳の痛い話だろうが、日本でしか流行していないテクノロジーにはあまり意味がない。日本発だろうが外国発だろうが、重要なテクノロジーが世の中に出てくると、アメリカやほかの国も一斉に反応するはずだ。にもかかわらず、日本でしか盛り上がっていないものは、未来のテクノロジーとして評価されていないということだ。

テクノロジーに関して日本は世界をリードする存在であるという言説は、残念ながら、もはや幻想に近い。バブル時代のお金があふれていた時期はともかく、日本発のテクノロジーがいきなり世界の最先端に立つケースはほとんどない。ある瞬間の、ある一分野を切り取って世界一だと言うことはいくらでもできるが、未来を左右する基幹テクノロジーになっているものはほぼない。メインストリームになれば、勝手に国境を越えていくからだ。

たとえば、ソニーの非接触型ＩＣカードＦｅｌｉＣａシステムがある。１９９７年に香港ではじめて導入され、その技術を用いて２００１年に日本に導入されたのがＳｕｉｃａだ。カードをかざしてからの反応時間が０・１秒というテクノロジーはもちろん素晴らしい。しかしながら、それをつくるためにＦｅｌｉＣａに支払う特許料もかかっているので、素晴らしい技術でありながら、世界標準にはならなかった。

日本は通勤ラッシュがひどいので、短い反応時間によって混雑が緩和されるという効果は確かにある。しかし、海外には日本と同等の通勤ラッシュという概念はなく、そこまでのスピードで処理する必要はない。導入が高額になる「並外れて優れたもの」と、それよりもはるかに安価な「優れたもの」とでは、どちらを海外企業や消費者が選ぶのかは明らかだろう。ここまでテクノロジーを突き詰められたから、それをフルに発揮した製品をつくりたいという気持ちはわかるが、日本人は受け入れても海外では受け入れられないこともある。そこまでの必要性を感じられないからだ。職人魂は立派だし、尊敬に値するが、テクノロジーは正しい方向に向かわなければもったいない。日本人は、往々にして「高性能なものほど必ず世界に広まっていく」という思考に陥りやすい。3Dテレビもそうだったが、「こんなにすごいテクノロジーが開発できたから、それをアピールしたい」というだけでは世界に通用しないのだ。テクノロジー偏重で市場のニーズを無視する姿勢は危ない。

日本のGDPは世界第3位だが、世界に占めるGDPの割合はわずかで、2020年に5・3%という予測が出ている。世界には日本と異なる大きなマーケットがあることを認識し、そこでもシェアを目指すべきだと思う。日本が日本独自のテクノロジーに固執してきたことは、グローバルな競争から置き去りにされる原因の一つになっている。

海外にマーケットがないガラケーもそうだ。たしかに外国産に比べて性能が良かったので、iモードやFOMAなど日本でしか使えないものを長く使っていた。だが、世界中でスマホが普及するようになって一気に総崩れとなった。日本でしか流行っていないテクノロジーが、長期的に見れば伸びないことは、このころから明確となった。

ガラパゴス化するものは、基本的には衰退する。日本でしか受け入れられていないユニークな製品は、結局世界のスタンダードを取れずに衰退し、その後盛り返すこともない。いずれかのタイミングで黒船がやって来て、根こそぎ駆逐されるのは目に見えている。日本でしか流行していないものに対する危機感、鋭敏さは持っていたほうがいい。

このような歴史をこれ以上繰り返していいのだろうか。

日本の銀行は顧客の利便性を徹底的に高めるために各行がこぞってＡＴＭをきめ細かく設置した。手軽に現金を手元に用意できる社会を実現した結果だが、かえってキャッシュレスが進んでいない。便利すぎたため、そこから抜け出せずにキャッシュレス後進国になってしまった。２０１９年の消費税アップとともに、盛んに電子マネーのキャンペーンを行っているが、世界がキャッシュレス比率50％から60％をうかがっている時代に、日本はまだ20％以下である。

テクノロジーは進化し続ける。だから、進化するものと思って設計すべきだ。その

ために は、次にどのようなテクノロジーが覇権を取るかを知っておく必要がある。先取りの情報を常に持ち、計画性を持ってコントロールしないと乗り遅れる。だからこそ、誰よりも早く世界最先端の情報をつかみ、そのテクノロジーを使ったビジネスの開発をしていかなければならない。もちろん、すべてを自力でできたほうが成功したときのリターンは大きいが、できなければその能力を持つ企業と組むことを優先的に考えるべきだと思う。もはや、日本だけでいい、世界の状況を知らなくていいなどという甘い考えは捨てねばならない。

10年後の世界、20年後の世界はこうなっていると、自分の言葉で語れる人がもっと出てこないと、日本のテクノロジービジネスは危うい。困難や失敗はある。だが、テクノロジーの進化とはそんなものだ。野球のバッターのように、3割当たれば御の字だという考えでいい。失敗を寛容できるチャレンジ精神、ハングリーさが求められている。

1989年、日本企業は世界の時価総額50傑に32社も入っていた。しかし、2018年にはトヨタ自動車の1社だけだ（出典・週刊ダイヤモンド2018年8月25日号）。現在は上場企業の手元流動性が高いから何とかもっているが、何も手を打たずにこのままいくと、やがて日本の会社は自転車操業に陥っていくだろう。

欧米のグローバル企業をいたずらに崇拝する必要はないが、いま、何が起こっているかというトレンドをつかむことは重要だ。トレンドをつかんだうえで、自社の進む方向性を決断しなければならない。そのときに手元にリソースがなければ、優れた能力を持つ専門家を雇うか、高い能力を持つ企業と提携するか、または企業を買収しないと、日本企業に未来はないだろう。

世界標準なのに日本にはまだ入っていないものを取り入れよ

反対に、世界ではデフォルトなのに、日本にはまだ入っていないテクノロジーを見過ごしてはならない。たとえば、乗り捨てができる電動キックボード（スクーター）がある。シリコンバレーや中国ではすでに導入されているが、日本はまだ福岡で実証実験が始まったばかりだ。

ＧＰＳが付いているので、どこへ乗り捨てても位置がわかる。利用者は乗り捨ててある場所から乗り、自分が好きな場所で乗り捨てればいいので非常に便利だ。自動車が増えすぎて困っていた中国から始まり、アメリカではワシントンＤＣ、サンノゼなどでブームが起こった。１回の料金は約１００円。折りたためるタイプなので、放置してもそれほど場所は取らない。日本では、ＫＤＤＩが出資したアメリカの企業が福岡の特区で始めるようだが、実験が成功して全国に導入されても、中国やアメリカには遅れをとった。

　同じことが配達ロボットでも起こっている。

　アメリカでは、アマゾンの宅配を人ではなくロボットが担う取り組みが始まろうとしている。ロボットが配達先に荷物を運び、勝手に置いていく。媒体はドローンもあれば、歩道を走行するミニカー型のロボットもある。アメリカでは認可されてサービスが始まるというのに、日本ではなかなか認可されない。

　これはビジネスというより規制の問題だが、ロボットのテクノロジーが出てきた段階でどのように応用できるかを考え、導入することで国にどの程度の利益が上がり、安全性について検証し、法整備を検討する。そういうことをシビアにビジネス感覚を持って考えられる人材が少なければ、後手に回って利便性や収益性の機会が奪われる。

　アメリカや中国やほかの国で流行している理由を考え、日本は違うというスタンスを捨てるべきだ。

　日本人はシャイだから匿名の形しか受け入れられないと言われてきたのに、実名で行うフェイスブックは受け入れられた。インスタグラムも顔出し実名でやっている。中高生に大人気の動画アプリ、ティックトックでも、若者は顔出ししている。現実に流行している現象を否定していた評論家は責任を取らない。評論家の考えを参考にするよりも、自分で情報を集め、自分で考えて行動しなければ、確実に時流を逃す。

私からすれば、ウーバーの導入を日本が躊躇したのも残念だった。タクシー業界の保護というだけで、ウーバーが日本で稼働していないのは大きな損失だ。ウーバーのメリットは、素人ドライバーが客を乗せる点にある。二種免許を持っているドライバーをアプリで配車しても意味がない。素人がグーグルマップによって初めて行く場所にも容易に行けるから、ドライバーの裾野が広がり料金が下がる。それを真っ向から否定してしまった日本の判断は、国民やオリンピック時を含む観光客から利便性やコスト削減の機会を奪っていることにもつながると思う。

ウーバーとは何か、ＭａａＳ（モビリティ・アズ・ア・サービス）とは何か、ＣＡＳＥ（コネクティッド化・自動運転化・シェアサービス化・電動化）とは何か。これらの言葉を操っている人は多いが、本当の意味をわかっている人は少ない（ご興味がある方は日本経済新聞の私の連載「教えて山本さん！　ＢｉｚＴｅｃｈの基礎講座」をご参照いただきたい）。

　いまさらＩｏＴなどという概念を話題にしても、テクノロジーとしてはほとんど意味がない。ＩｏＴとほぼ同じ概念のユビキタスは昔から日本で提唱されていたのに――。

　そのテクノロジーの何が革命的なのか。

　これを理解したうえで、世界で流行しているテクノロジーを日本に導入する方法を考えなければならない。そうしないと、結局はグローバル企業の日本子会社ができて、そこがさまざまなロビー活動を展開し、結局、日本企業は蚊帳の外に置かれる。

　福岡の電動キックボードも、複数のアメリカ企業の日本子会社が福岡の特区で運用を任された。メルカリが自転車シェアリングサービスの「メルチャリ」をやろうとしたが、残念ながら本格参入にはつながらなかった。なぜ外国企業ができて日本企業ができなかったのか。この構図を変えなければ、日本企業に未来はない。

　こうしようと決めても、それが正しかったかどうかは結果でしかわからない。だが、わからないことを必要以上に恐れ、ネガティブにとらえて行動しなければ、何も得られない。

　わからなければ、知識と情報を仕入れたうえで議論すればいい。日本人に欠けているのは議論をする習慣や機会が少ないことだ。

正解がわからない時代、正解が絶えず変化する時代に生きている以上、柔軟な思考で世界のトレンドを取り入れていく姿勢は必要だろう。日本には、自動的に情報が集まる環境はない。黙っていては良質の情報は目の前を素通りしてしまう。もしくは詐欺師が近寄ってくるだけだ。ギブ&テイクの姿勢で、情報は自ら取りにいかなければならない。

その点から言うと、これからのビジネスパーソンはプログラミング、データ、英語、そしてファイナンス（金融財政）に関する知識を絶対に身につけなければならない。なぜなら、この4つはテクノロジーのビジネスを理解するための必須ツールだからだ。目的は世界で起こっている変化を推察し、何ができて何ができないかという感覚を持つことだが、ツールを持たなければそれさえも理解できない。

新しいバズワードがやってきたとき、AI、5G、クラウド、ブロックチェーンなどの概念が入ってきたときに、うろたえず、ここまではできる、ここからはできないという判断ができることが、テクノロジーに関する最重要のリテラシーである。

ヤフー・ラインの提携が意味するもの

本書をほぼ書き終えようとする2019年11月に入って、ヤフー（正式には親会社のZホールディングス）とラインが経営統合に基本合意したという大きなニュースが入った。流動的で不確定な要素も多く、本書に記すべきではないかもしれないが、現段階で確実に言えることはおおよそ次のとおりだ。

第一に、今回の提携合意の背景には、FAANG＋Mへの強い警戒心の表れがあり、外資への対抗措置という意味合いが強い点である。

たとえばアップルは、ゴールドマン・サックスと組んで始めたクレジットカード事業「アップルカード」のサービスを、2020年には日本でも始めるのではないかとされている。中国でiPhoneの売り上げが急速に落ちているアップルにとって、相変わらずiPhoneのスマホ占有率が高い日本は最有力マーケットだ。つまりアップルは必ず、キャッシュレス決済のアップルペイを日本に浸透させるために本気で攻めてくる。アップルカードは、アップルペイを日本に広めるための呼び水となるだろう。現在、利用者が3700万人のラインペイを持つラインと1900万人のペイペイを持つヤフーの両社が黒船の本格的な来航に備えて共闘しようと考えるのは自然

ＦＡＡＮＧ＋Ｍ、ＢＡＴＨの業態比較

	ハードウェア	ソフトウェア	サービス
フェイスブック	△	○	△
アマゾン	○	○	◎
アップル	◎	○	○
ネットフリックス	ー	○	◎
グーグル	○	◎	△
マイクロソフト	○	○	○
バイドゥ	△	○	△
アリババ	○	○	◎
テンセント	△	◎	△
ファーウェイ	◎	○	△

◎＝リードしている　○＝平均的
△＝やや遅れている　ー＝参画していない

（いずれも2019年12月時点）

な流れだろう。

第二に、両社が提携するメリットである。ラインの強みは月間利用者数８２００万人という数とブランド力にあり、消費者に対するリーチが強い（インストール率が高い）。一方のヤフーはＰＣのポータルサイトというイメージが強く、その点ではラインに分があるが、資金力とニュースの強さではヤフーが勝る。あくまでも予測でしかないが、ラインのアプリを使えばショッピングも銀行決済もなんでもできるような、いわゆる「スーパーアプリ」の座を最終的には狙っているのではないかと思う。

第三に、両社の提携合意は外資への対抗措置だが、それでもスケールがまったく違うという厳然たる事実である。ヤフー・ライン2社の時価総額の合計は約3兆円。約50兆〜100兆円の時価総額を誇るFAANG+MやBATHとは、まだまだ大人と子どもほども違う。日本でもっともデータを保有する企業の一つであるヤフーでさえ、世界と戦うには圧倒的に身体が小さい――この事実を日本人はしっかりと認識する必要があるだろう。

第四に、ヤフーとラインの提携合意は、本書の序章で示した「大変化5　収益はどこから得てもOKで、業界の壁が消える」という方向性を如実に示しているという点を挙げたい。ラインバンクであろうと、ヤフーショッピングであろうと両者が組めば、利益はどこから得てもいいのである。これが2020年代の主要なビジネスモデルになっていくことを強調しておきたい。

最後に、現時点でFAANG+MやBATHが「ハードウェア」「ソフトウェア」「サービス」のどこに強いのか、どこがライバルと比較してやや遅れているのかについて一覧にしてみた（234ページ）。今後のテクノロジーに関する情報収集の一助としていただければと思う。

おわりに

本書の冒頭に記した、「馬車から車へ」の大変化から30年後――すなわち１９４５年の戦後、日本中が焼け野原だった時代、ほとんどの企業はベンチャーからスタートせざるを得なかった。逆に言えば、今の日本の大企業は、ほぼすべてがベンチャーから始まったようなものだ。

当時の日本は、今では想像もできないほど貧しく、困難のなか、資源も何もないような状況で、投資できるのは唯一「人」、つまり技術者や経営者だった。アメリカの先進的なテクノロジーやビジネスモデルを必死で採り入れ、改善し、そして大きくなった。外貨を稼ぐ原動力の中心はテクノロジーであり、１９９０年代から始まるバブル崩壊までは、奇跡とも言われるほどの高度経済成長時代を築きあげた。

車にせよ、携帯電話にせよ、日本はゼロから何かをつくるのは得意ではなかったのだ。ならば昔のように、貪欲に海外から学ぶことに集中して先を読めば良いのだ。

この「海外や異業種から貪欲に学び、取り込む」という姿勢が今の日本にはもっとも欠けていると、帰国するたびに感じている。インターネットや英語というツールやソフトで、今やどこでも学べる素晴らしい環境が整いつつあるのに、皮肉を感じる。ディープラーニングのように、日進月歩の勢いでテクノロジーが進化するなか、最新の動向をひたすら学び続けたビジネスパーソンだけが一歩先の未来を読める時代になりつつある。そして、その予想に基づいた意思決定がビジネス、ひいては経済に影響を与える割合がますます大きくなっている。

この能力は外注によって得られるものではない。経営や政策に関わる者全員が身につけるべき素養・教養だと思う。お世辞やお追従ではなく、耳に痛いことも正直に話してくれるような、信頼のおける、同時に技術も分かる人材を経営の中に――社外取締役や資本提携、買収、あるいは政府委員などの立場や手段を通じてでも――置かなければならない。

もはや技術に国境や業種の壁はない。「大学を卒業したら、もう勉強は無意味」という、30年以上前の昭和の時代の考え方から頭を切り替えよう。貪欲に学び、そして行動に移すという、本来の強みをもう一度日本は取り戻さなければならない。そうすれば次の令和の30年の後、2050年には見違えるような結果になっているはずだ。

本書が、世界水準を目指す日本企業のビジネスの変革につながる一助になれば幸いである。

今回の執筆に取り組めたのは、これまで私が影響を受けたすべての方々のおかげだが、同時に多くの方からご助言を頂いた。末筆ながらここで、貴重なご助言をくださった方に謝辞を述べたい。

東京大学大学院特任研究員の鳩貝淳一郎氏、スタンフォード大学教授の小島武仁氏、同大学研究員の櫛田健児氏。防衛大臣・河野太郎氏をはじめとする「US-Japan Leadership PROGRAM」の皆様、グーグル時代の同僚の山本圭氏、東京大学でご指導いただいた吉田恒昭先生、母校・西大和学園時代の恩師の福井士郎先生。

そして最後に苦労をかけた親に最大の感謝を――。

山本康正

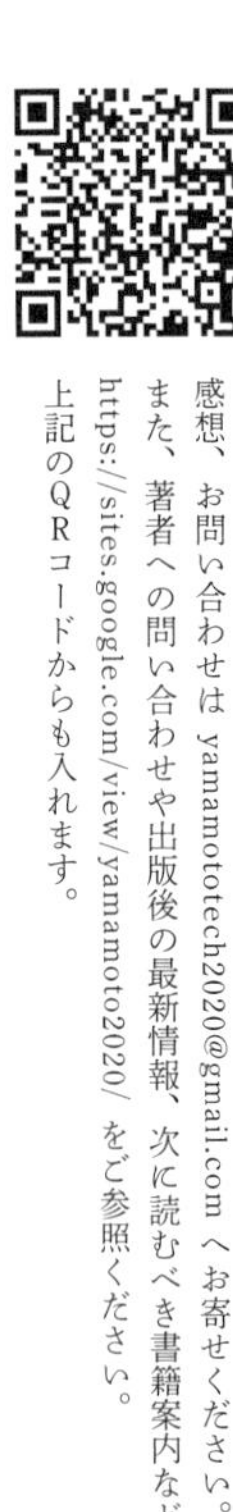

感想、お問い合わせは yamamototech2020@gmail.com へお寄せください。
また、著者への問い合わせや出版後の最新情報、次に読むべき書籍案内などは、
https://sites.google.com/view/yamamoto2020/ をご参照ください。
上記のQRコードからも入れます。

N.D.C. 330　238p　18cm
ISBN978-4-06-517592-7

講談社現代新書　2558
次のテクノロジーで世界はどう変わるのか
二〇二〇年一月二〇日第一刷発行　二〇二〇年二月一二日第三刷発行

著　者　山本康正

発行者　渡瀬昌彦
発行所　株式会社講談社
東京都文京区音羽二丁目一二—二一　郵便番号一一二—八〇〇一
電　話　〇三—五三九五—三五二一　編集（現代新書）
〇三—五三九五—四四一五　販売
〇三—五三九五—三六一五　業務
装幀者　中島英樹
編集協力　新田匡央
印刷所　凸版印刷株式会社
製本所　株式会社国宝社
定価はカバーに表示してあります　Printed in Japan

「講談社現代新書」の刊行にあたって

教養は万人が身をもって養い創造すべきものであって、一部の専門家の占有物として、ただ一方的に人々の手もとに配布され伝達されうるものではありません。

しかし、不幸にしてわが国の現状では、教養の重要な養いとなるべき書物は、ほとんど講壇からの天下りや単なる解説に終始し、知識技術を真剣に希求する青少年・学生・一般民衆の根本的な疑問や興味は、けっして十分に答えられ、解きほぐされ、手引きされることがありません。万人の内奥から発した真正の教養への芽ばえが、こうして放置され、むなしく滅びさる運命にゆだねられているのです。

このことは、中・高校だけで教育をおわる人々の成長をはばんでいるだけでなく、大学に進んだり、インテリと目されたりする人々の精神力の健康さえもむしばみ、わが国の文化の実質をまことに脆弱なものにしています。単なる博識以上の根強い思索力・判断力、および確かな技術にささえられた教養を必要とする日本の将来にとって、これは真剣に憂慮されなければならない事態であるといわなければなりません。

わたしたちの「講談社現代新書」は、この事態の克服を意図して計画されたものです。これによってわたしたちは、講壇からの天下りでもなく、単なる解説書でもない、もっぱら万人の魂に生ずる初発的かつ根本的な問題をとらえ、掘り起こし、手引きし、しかも最新の知識への展望を万人に確立させる書物を、新しく世の中に送り出したいと念願しています。

わたしたちは、創業以来民衆を対象とする啓蒙の仕事に専心してきた講談社にとって、これこそもっともふさわしい課題であり、伝統ある出版社としての義務でもあると考えているのです。

一九六四年四月　野間省一